suhrkamp taschenbuch 1599

Ironisch und voller Witz erzählt Wladimir Tendrjakow (1923–1984) die turbulenten Verwirrungen in der eigentlich legendären Stadt Kitesh, die für einige Lesestunden sowjetische Gegenwart wird. Einst war sie überflutet worden, um einen feindlichen Überfall abzuwehren. Das gegenwärtige Kitesh dagegen liefert sich seinem Feind aus: der ökologischen Bedrohung.

Zunächst sah jedoch alles ganz anders aus: der belächelte, doch vom Volk geliebte Poet Lepota wird aufgefordert, einen Alarmartikel wider die Wasserverunreinigung zu verfassen. Sein Plädoyer für den Nachtigallengesang in einer heilen Natur wird tags darauf von einem Leserbrief, der den industriellen Fortschritt preist, beantwortet. Der Brief existiert, jedoch nicht sein Verfasser Sidorow. Vielmehr ist es der gewitzte Journalist Popjonkin, der, verantwortlich für Lepotas poetischen Artikel, nun mit dem zweiten Traktat Zwietracht in der Stadt und den Familien sät, um den Chefredakteur und sich selbst vor dem allgewaltigen Zorn des Kombinatsvorstehers zu retten. Der Geist Sidorow, den er hervorgebracht hat, droht sich schließlich gegen ihn zu richten.

Spielerisch-ironisch erzählt Tendrjakow einmal wieder die alte, doch stets akute Problematik vom Konflikt zwischen Natur und Kultur.

Von Wladimir Tendrjakow erschienen im Suhrkamp Verlag: *Die Nacht der Entlassung,* 1975; *Mondfinsternis,* 1978; *Die Abrechnung,* 1980; *Sechzig Kerzen,* 1982.

Wladimir Tendrjakow
Die reinen Wasser von Kitesh

Erzählung

Aus dem Russischen von
Thomas Reschke

Suhrkamp

Titel der Originalausgabe: *Čistye vody Kiteža*. Povest'.
Umschlagfoto: Sonnenuntergang in Wakaw.

suhrkamp taschenbuch 1599
Erste Auflage 1989

Satz: Uhl + Massopust, Aalen
Druck: Nomos Verlagsgesellschaft, Baden-Baden
Printed in Germany
Umschlag nach Entwürfen von
Willy Fleckhaus und Rolf Staudt

1 2 3 4 5 6 – 94 93 92 91 90 89

Die reinen Wasser von Kitesh

I

Wer sagt, die berühmte Stadt Kitesh wäre spurlos verschwunden? Sie lebt und baut, sie erfüllt und übererfüllt die Pläne, sie übernimmt hohe Verpflichtungen, gibt eine Zeitung heraus, sitzt abends vor dem Fernseher und erhöht unermüdlich das kulturelle Niveau der Massen.

Bisweilen aber, wenn besonders scheußliches Wetter herrscht, sinkt die Stadt Kitesh gleichsam in ewige Ruhe: Vom niedrigen Himmel nieselt es, die Mehrzahl der Kitesher Bürger versteckt sich in ihren Häusern, und diejenigen, die hinaus müssen auf den nassen Asphalt und sich dazu in wasserdichte Nylonpellen hüllen, wecken unfrohe Gedanken – wie unähnlich sind sie doch ihren ruhmreichen Vorfahren, welche dazumal fähig waren zu Brudermord und blutigem Gemetzel, zu Sünde und Buße. Die unlängst restaurierte Kuppel der uralten Kathedrale blinkt traurig wie die Glatze des Herrgotts, der sich wundert, was für eine langweilige Welt er geschaffen hat. Und die regennasse Ziegelfassade des Redaktionsgebäudes der örtlichen Zeitung »Morgenröte von Kitesh« gemahnt ein wenig an die Physiognomie eines Dulders, den der Zahnschmerz zermürbt.

In diesem Gebäude saß in seinem Arbeitszimmer, das so schmal war wie ein abgehacktes Stück Korridor, ohne Licht, in philosophischer Erstarrung, auf Gottes Welt hinausblickend, der verantwortliche Redaktionssekretär Samson Popjonkin.

Worüber kann ein wackerer Kitesher Bürger an so einem gräßlichen, unausgereiften Herbsttag nachsinnen? Nur über eines von zwei Themen: Ach, besaufen müßt man sich, oder aber – erkenne dich selbst. Und je nachdem, in welcher Richtung sein Denkapparat arbeitet, läßt sich der Mensch bestimmen – ob er von Haus aus geistig gesund oder ob er ein reflektierender Intellektueller ist.

Samson Popjonkin, leider muß es gesagt werden, soff nicht, sondern war dabei, in der beginnenden Dämmerung und in trostloser Einsamkeit sich selbst zu erkennen.

Nicht mehr lange, und er war fünfzig. Im Morgenrötedunst der Jugend hatte er Dichter werden wollen, hatte vom Ruhm geträumt und Gedichte geschrieben, die von lebensbejahender Frische durchdrungen waren:

Schwierigkeiten sind nicht schlimm,
das Leben brennt wie Sprit!
Selbst das Schwerste leichter nimm,
der Kopf hält immer Schritt.

Er hatte jedoch früh erkannt, daß mit Gedichten, und seien sie noch so lebensbejahend, auf keinen grünen Zweig zu kommen ist und … war ins Arbeitsleben getreten.

Erkenne dich selbst, doch das pflegt äußerst widersprüchliche Gefühle zu wecken: Er liebt mich – er liebt mich nicht, er drückt mich ans Herz – er macht mir viel Schmerz …

Im großen und ganzen war Samson Popjonkin nicht das fünfte Rad am Wagen, sondern immerhin verantwortlicher Redaktionssekretär im zentralen Presseorgan der Stadt Kitesh. Verantwortlich war er für sämtliche Artikel, für die Erscheinungstermine, für die Satzqualität, für Umbruch und Layout und weiß der Teufel wofür noch! Man könnte meinen, er hätte längst Kopf und Job verloren, jedoch die Chefredakteure kamen und gingen, aber er, Samson Popjonkin, blieb unverrückbar. Solche Unverrückbarkeit freilich freut mitunter nicht so sehr, wie sie bedrückt, und manchmal scheint es, als bewegte sich das Leben überhaupt nicht weiter, sondern wäre festgefahren. Gestern, heute, morgen, übermorgen immer dasselbe – Insatzgabe, Fahnenlesen, Auslieferung, bis zum Grabe nichts anderes. Und wenn man denkt, daß man so wie heute ewig durch das nasse Fenster die Tage kommen und gehen sieht – oh, er liebt mich, er liebt mich nicht, er drückt mich ans Herz, er macht mir viel Schmerz … Das auf dem Tisch ausgebreitete Blatt der heutigen Nummer weckt ungesunde Assoziationen mit dem Himmel, der atembeklemmend niedrig über der Stadt Kitesh hängt. Er liebt mich – er liebt mich nicht, er macht mir viel Schmerz …

Da plötzlich ... Nein, nein, gar nichts ist passiert, Samson Popjonkin ist nur zusammengezuckt. Draußen nieselt es noch immer, der Himmel drückt auf die Stadt wie zuvor, doch eine unbegreifliche Stimmung – er liebt mich, er liebt mich nicht – setzt ihm zu.

Schon lange hat in der Stadt Kitesh niemand Kinder aus einem brennenden Haus geschleppt, niemand Produktionsrekorde gebrochen, niemand ein Jubiläum gefeiert, auch stand keine Fertigstellung eines Großbaus ins Haus, und nicht einmal Fußball- oder Hockeyspiele, die die Gemüter bewegten, fanden statt, es war nicht die Saison. Die Sauregurkenzeit verlief gar zu geräuschlos. Es hatte sich dermaßen viel Geruhsamkeit angesammelt, daß sie wie harmlose Luft, die man in eine Stahlflasche gepreßt hat, zum Sprengstoff wurde.

Samson Popjonkin war von dieser verdichteten Geruhsamkeit zusammengezuckt. War zusammengezuckt und spürte wie ein Hellseher: Es muß was passieren! Sprengstoff liegt in der Luft. Ein Funke, eine Entladung, und schon haben wir Krach, Qualm, Flammen, feindliche Wirbel!

Vor dem Fenster blinkte trostlos die kahle Kuppel der Kathedrale.

Ganz und gar gesammelt, versuchte Samson Popjonkin seine Hellsichtigkeit in einem Punkt zu bündeln: Funke, Entladung – woher? Aber nur die bedrohliche dichte Stille quetschte ihn von allen Seiten ein. Von irgendwo mußte doch der Donner krachen, das Wasser aus den Himmelsschleusen strömen. Von irgendwo! Die Hellsichtigkeit blieb vorerst kraftlos.

Hinter der Wand klappte die Eingangstür, und im Korridor tönte das wohlbekannte hastige Trappeln – der Chefredakteur Ilja Makarowitsch Kryschew schnürte mit seinem seitlich-scheuen Trippelgang an Samson Popjonkins Zimmer vorbei.

Samson Popjonkin sah wieder hell: der Funke! Wer sollte ihn bringen, wenn nicht der Chef! Vermutlich glimmte es bereits in seiner Hand.

Samson Popjonkin sprang nicht auf, stürmte nicht Hals über Kopf zu Kryschew. Er mußte sich an das Ritual halten – gleich würde wie immer das Telefon klingeln und die wohlbekannte Stimme ihn einladen: »Komm doch mal rüber für einen Moment.«

Gleich. Jetzt gleich!

Das Telefon klingelte.

»Samson Jakowlewitsch, komm doch mal rüber für einen Moment.«

2

Ihre Obliegenheiten waren streng getrennt. Samson Popjonkin leitete das innere Leben der Redaktion, und der Chefredakteur Kryschew hatte sich die Bürde der Außenbeziehungen aufgeladen. Samson Popjonkin belieferte die Stadt Kitesh sechsmal wöchentlich mit jeweils vier Spalten, und sechsmal wöchentlich, manchmal auch öfter, fuhr Ilja Kryschew klären, abstimmen, instruktive Weisungen einholen.

Samson Popjonkin hatte erwartet, der Chef sähe zerrauft aus wie ein Hahn, der das Hinterteil gegen den Wind gekehrt hat. Aber Ilja Kryschew saß fleißig hinter dem grünen Gefilde seines Schreibtischs – wie immer glattgekämmt, gut gelaunt, sämtliche Knöpfe geschlossen. Es sah nicht so aus, daß ihm ein Fünkchen in der Hand glimmte.

Kryschews Arbeitszimmer hatte keinerlei Ähnlichkeiten mit dem schmalen Käfterchen des verantwortlichen Sekretärs, diesem Spalt zwischen zwei mit Menschen vollgestopften Abteilungen. Es bedurfte nicht weniger Schritte von der Tür her, um zu seinem Schreibtisch zu gelangen. Und wenn man den Raum, der in Maßen von etwas Besonderem, scheueinflößend Bedeutsamen gesättigt war, überwunden hatte, näher getreten war und auf dem mit einem wohlwollenden Kopfnicken bezeichneten Stuhl Platz genommen hatte, wurde man inne, daß nicht eine, sondern gleich zwei Physiognomien einen anstarrten – die rosige, offen gutmütige Ilja Kryschews und die trübgläserne, rätselhaft undurchdringliche des Fernsehers.

Ein Fernseher im Arbeitszimmer! Nein, er stand nicht da, damit man die heiteren Sendungen aus der Reihe »Das blaue Fenster« oder eine Hockeyschlacht anschauen konnte. Ein Fernsehapparat im Arbeitszimmer ist ein Zeichen für hohe Leitungsverantwortung. In der ganzen Stadt Kitesh ließen sich diejenigen Genossen, die dienstlich neben einem schweigenden Fernseher thronten, an den Fingern einer Hand herzählen.

Ilja Kryschew hatte man grade erst begonnen, zu jener dauerhaften Leibesfülle aufzulaufen, die darauf hindeutet, daß der betreffende Genosse nicht mehr in die Höhe, sondern bereits in die Breite wächst. Jetzt entschnürte er eine Mappe und breitete gemächlich und ehrerbietig Papiere auf dem grünen Gefilde aus, ein gewohntes Ritual, welches die erfolgreiche Operation der heutigen Außenbeziehungen abschloß.

»Also, man ist der Meinung, daß wir die Wintervorbereitung nicht schlecht behandeln, gar nicht schlecht ...«

Gewohntes Ritual, gewohnte Worte – sollte die Hellsichtigkeit getrogen haben? Samson Popjonkin war noch immer etwas benommen von der zusammengesinterten Stille, die Seele verlangte nach Krach, Qualm, feindlichen Wirbeln!

»Und sonst nichts? Keinerlei Bemerkungen?«

»Doch, eine ...«

Es riß Samson Popjonkin ein wenig vorwärts, doch sein schmales Gesicht blieb leidenschaftslos, sein Blick undurchdringlich.

»Du wirst dich erinnern, wir hatten mal ein Artikelchen über die Verschmutzung des Flüßchens Kershawka.«

»Und?«

»Nein, nein, alles in Ordnung, wir hatten das richtig anvisiert. Bloß wir sind zu zaghaft rangegangen. Die heimische Natur wird vernichtet, und wir schreiben mit sanftem Vorwurf, ohne Nachdruck, ohne Feuer.«

Samson Popjonkin sank enttäuscht zusammen: Die Verschmutzung des Flusses war ein kümmerliches Thema, abseitig, und hatte überdies einen langen Bart. Ilja Kryschews Augen aber glänzten begeistert.

»Hier müssen wir sämtliche Glocken läuten, mein Lieber! Alle sollen es hören und zusammenzucken. Man verlangt von uns einen Alarmartikel! Verstehst du, Alarm!«

Aber Samson Popjonkin teilte seine Begeisterung nicht.

»Und das ist alles?« fragte er.

»Was denn noch? Wir müssen die Massen aufrühren. Sturmgeläut! Das ist dir zu wenig?«

Ilja Kryschews Natur war so beschaffen: »Doch trotzig sucht er Sturm und Fluten ...« Freilich durfte der Sturm nicht zu heftig geraten – nun, kein Sturm im Wasserglas natürlich, auch keiner in der Wanne, das Flüßchen Kershawka war gerade richtig.

Und draußen Regen, Regen. Und die Kathedralenkuppel, die man gar nicht mehr sehen mochte. Der Himmel verhangen, nirgends ein Lichtschimmer.

»Na, ich geh, Ilja Makarowitsch.«

»Einen Alarmartikel! Alarm schlagen! Mit voller Kraft! Sämtliche Glocken läuten! Für die nächste Nummer!«

»Na gut, also einen Alarmartikel.«

3

Der Bildreporter Tugobrylew wollte mit den noch feuchten Fotoabzügen eines vorbildlichen Getreidesilos bei ihm eindringen, aber Samson Popjonkin schlug ihm die Tür vor der Nase zu.

»Ich hab zu tun!«

Er setzte sich an den Schreibtisch, und um das trübe Fenster nicht mehr zu sehen, machte er Licht und zog das staubige Gardinchen vor. Seine Seele war aufgestört, das unklare Gefühl von Hellsichtigkeit – irgendwas kommt, irgendwas muß kommen! – war nach der Unterredung mit dem Chefredakteur nicht gewichen. Dabei hätte es weichen müssen. Die Verschmutzung der Kershawka ... Aus einem dermaßen ausgesaugten Thema ließ sich kein Funke schlagen. Krach, Qualm, feindliche Wirbel ... Wurde er etwa alt, versagte sein Gespür?

Liefer mir Sturmgeläut, nicht mehr und nicht weniger. Dabei war das nichts Neues: Samson Popjonkin hatte schon über Fleisch und Milch, über die Legeerträge der Hühner und den Abtransport des Dungs, über die kalte Kälberaufzucht im Offenstall und die warme Metallbearbeitung Sturm geläutet. Jetzt also die Verschmutzung der Kershawka ...

Sturmgeläut? Zu solch einem Thema?

Samson Popjonkin wurde stutzig – da war was.

Dieses Sturmgeläut würde Mißfallen erregen. Bei wem? In erster Linie beim Direktor des Kitesher Kombinats, dem Genossen Kallistrat Syrzow. Onkel Kallistrat war einer, der sich in der Stadt Kitesh vor keinem Menschen duckte. Hinter ihm standen die allmächtigen Hauptverwaltungen des größten Ministeriums des Landes, er hatte die Unterstützung von Moskau persönlich!

Gegen ihn Sturm läuten?

Würde sich wirklich ein mutiger Draufgänger finden, der es wagte, sich mit Ilja Muromez* von Kitesh anzulegen?

Auf ihn losgehen, Mann gegen Mann? He, he, eben nicht, das war es ja gerade. Sie sollten Alarm schlagen, die ganze Stadt auf die Beine bringen, die Massen aufrühren!

Jeder Kitesher Bürger hatte den Wunsch, daß das Flüßchen Kershawka und der Swetlojar-See, in den es mündete, sauber wären. Jeder Kitesher Bürger würde sich von dem Alarmruf angesprochen fühlen.

Kümmerliches Thema? Die ganze Stadt konnte es auf die Beine bringen. Und gegen eine ganze Stadt Krieg zu führen, das würde selbst dem allmächtigen Kallistrat Syrzow sauer werden.

Aber dann würde die Hauptverwaltung ihre Kräfte rühren, das Ministerium in Bewegung kommen, Moskau sich einschalten!

Die Stadt Kitesh gegen Mütterchen Moskau persönlich?

* Recke aus der russischen Legendenwelt – A. d. Ü.

Samson Popjonkin lief es kalt über den Rücken: So was hatte es nicht gegeben, seit er denken konnte. Ilja Kryschews beseeltes Gesicht fiel ihm ein: »Doch trotzig sucht er Sturm und Fluten ...« Du sollst deinen Sturm haben, mein lieber Ilja, und was für einen! Wackeln wirst du auf deinem Stuhl.

Ob ich ihn warne? überlegte Samson Popjonkin. Er hatte sich gut mit seinem Chef eingearbeitet und wollte eigentlich nicht, daß der Sturm den herzensguten Ilja Kryschew aus der Redaktion wehte.

Aber dann malte er sich aus, daß kein Sturm losfauchte, der morgige Tag dem heutigen gliche, er vor dem verheulten Fenster säße und den kahlen Schädel der Kathedrale studierte ... Wenn eines Menschen Seele nicht nach Sturm verlangt, mag er sich nicht austoben.

Ilja Kryschew wollte einen Sturm von höchst mäßiger Stärke, doch er, Samson Popjonkin, hätte nichts dagegen, auf hohen Wellen zu schaukeln. Er war leichter als Ilja Kryschew, darum schwamm er besser.

4

Aber wer sollte Alarm schlagen? Nicht jeder war dazu befähigt, das brauchte einen, der Mut hatte.

In der Stadt Kitesh waren sie noch nicht ausgestorben, die wackeren Ritter, die die Feder nicht minder gewandt handhabten als ihre ruhmreichen Vorfahren Speer und Keule.

Von alters her finden sich in Dörfern und Weilern des heiligen Rußland außergewöhnliche Naturen, respektvoll Kämpen genannt, denen man bei einer Begegnung Platz macht. Als erster Kämpe der Kitesher Presse galt mit Recht der Kritiker Petrow-Raufbold. Er war vom platten Lande her zur Literatur gestoßen, ausgestattet mit der Reckenkraft des Schwarzerdegürtels, von aufbrausender Sinnesart und solch ausdrucksvoller Offenheit seines ungebügelten Stils – »Iäch, ich knall dir eine!«, daß er bei seinen schwachnervigen Lesern unwillkürliches Erschauern auslöste. Wenn überhaupt einer, dann war er fähig zu ohrenbetäubendem Sturmgeläut, doch die Sache war die, daß er, hatte er einmal einen Glockenturm erklommen, nicht gern wieder herunterstieg. Wenn er das Volk zusammengeläutet hätte, würde es ihm gar nichts ausmachen, zu schreien: »Schlagt sie!« und auf diejenigen zu weisen, auf die er schon lange einen Rochus hatte. Samson Popjonkin hatte dem alten Kämpen schon öfters den Rang abgelaufen. Petrow-Raufbold kam nicht in Frage.

Das genaue Gegenteil dieses halblegendären Wassili Buslai* war Arssenti Kawytschko, dessen geschliffenes Können sich durch Eleganz, dessen Charakter sich durch Freundlichkeit auszeichnete, und mit seelischer Großzügigkeit hatte ihn die Natur so überreich ausgestattet, daß seine wohltrainierte Feder Epitheta ausschließlich im Superlativ zu Papier brachte – »größtes Talent«, »feinste Beobachtung«, »scharfsinnigster Blick« –, so daß den Leser nach solch erlesener Speise gelegentlich der niedrige Wunsch heimsuchte: »Man möcht mal wieder Salzhering!« Arssenti Kawytschko konnte natürlich die Glokken läuten, doch statt alarmierender Töne würde bei ihm bestimmt ein lyrisch-tänzerisches Gebimmel herauskommen.

Es lebte in Kitesh auch der nicht ganz unbekannte Boris Moissejewitsch Tschur, ein gestählter Legionär, der mit seiner Waffe treu ergeben jedem diente, der ihn rief. Während seiner langjährigen Tätigkeit hatte er sich in verschiedenen Stilen und Genres topfit trainiert. Es machte ihm nicht das geringste aus, sich in einen »grauen Wolf auf Erden, einen blauen Aar in den Wolken« zu verwandeln, er konnte (wenn man es ihm nur gestattete) kämpenhaft nach der Manier Petrow-Raufbolds dreinschlagen oder aber im Geiste Arssenti Kawytschkos süßstimmig lobpreisen (wenn man es nur nachdrücklich verlangte). Alarm schlagen – bitte sehr, Tschur kann auch das. Er verweilt auch nicht über die Zeit auf dem Glockenturm, sondern steigt gleich wieder hinunter und stellt sich still und

* Recke aus der Alt-Nowgoroder Legendenwelt – A. d. Ü.

bescheiden abseits. Die Schwierigkeit besteht darin, daß alle Welt weiß: Der wackere Tschur handelt wie jeder wahre Legionär nicht aus sich heraus, sondern auf Befehl. Und dann geht natürlich sofort die Sucherei los – wer hat den Befehl gegeben, auf wessen Anregung wurde Alarm geschlagen? Und dann ist Tschur der erste, der auf Samson Popjonkin zeigt – der hat mich vorgeschickt, der trägt die ganze Schuld. Nee, lieber nicht, geht mir los! Samson Popjonkin mag es gar nicht, wenn sich ein Zeigefinger auf ihn richtet.

Die Stadt Kitesh ist nicht arm an Leuten, die die Feder zu führen wissen, aber auf wen man auch sein Augenmerk richtet, jedem dieser Ritter mangelt es an etwas, jeder hat eine Macke.

Samson Popjonkin wollte schon sachte die Hoffnung aufgeben, doch plötzlich kam ihm eine geniale Idee: ob ich den Kragen mit Marder verbräme? Einen Moment lang, noch einen fiel er in Erstarrung, saß da und klapperte besessen mit den Augen.

Das war eine Idee!

Idee war eigentlich nicht der richtige Ausdruck – es hatte auf der Hand gelegen. Der Mann, dessen Name Samson Popjonkin jetzt eingefallen war und ihn betäubt hatte, war in Kitesh bekannter als Petrow-Raufbold, Arssenti Kawytschko und Tschur zusammengenommen. Zunächst aber mußte die Sache durchdacht und nochmals durchdacht werden, schon weil er einen Mann um Hilfe bitten wollte, der ihrer stets selbst bedurfte.

In der Stille seines schmalen Arbeitszimmers ging Samson Popjonkin daran, diesen Mann in Gedanken zu wägen und abzutasten – den örtlichen Poeten Iwan Lepota.

Ein jeder Dichter, wie klein sein poetisches Äckerchen auch sein mag, strebt danach, möglichst viel Lorbeer davon zu sicheln. Iwan Lepota hatte es fertiggebracht, auf seinem Acker ausschließlich Disteln zu züchten. Ein Kind der Natur, war er rührend verliebt in alles, was ihm in die Augen fiel. Sah er etwa die Grashuckelchen im Walde, schon geriet er in Entzücken. Allein die Tatsache, daß die Huckelchen nicht fremd, nicht von auswärts herbeigebracht, sondern eigene, heimische Kitesher Huckel waren, verlieh ihm das Recht, sie als die schönsten der Welt anzusehen! Die Kitesher Vogelbeeren, so bitter sie sein mochten, waren die süßesten. Die Kitesher Pilze die kernigsten. Die Kitesher Kirchen die höchsten ... Nun ließe sich denken, er wäre geradezu begraben unter Ruhm und Ehre ob solcher Liebesfähigkeit, aber ... das Pech war, daß Iwan Lepota nicht rechtzeitig innezuhalten vermochte. Hatte er einmal angefangen, rührend in alles verliebt zu sein, was ihm in die Augen fiel, so vergaß er sich und begann gar Dinge zu rühmen, die sich seiner Sicht entzogen. So besang er beispielsweise aus dem Nichts mit all seiner Rührungskraft den Kitesher Glockenklang, obzwar sämtliche Glocken der ruhmreichen Stadt schon vor Urzeiten von den Türmen geholt worden waren. Bei ihm läutete also etwas, was schlicht nicht läuten konnte. Oder er rief in einer hingerissenen Anwandlung: »Aus der Herde ein Roß wähl, ein feuriges, ich!« In der Umgebung von Kitesh aber wurden die heißen Rosse zur Winterszeit mit Traggurten an den Deckenträgern festgeschnallt, damit sie aus Futtermangel nicht umkippten. Wie konnte er von Herden reden, wenn das Pflügen, Eggen und Einbringen der Ernte mit Traktoren und Lastautos erfolgte? Sich jedoch in Traktoren zu verlieben, das lehnte Iwan Lepota bockbeinig ab. Dafür bezog er ständig Prügel wegen Verzerrung der Kitesher Wirklichkeit und wegen Schwarzmalerei, er wurde in einem Atemzug des Antipatriotismus geziehen und als volksfremder Kosmopolit gebrandmarkt. Worauf Iwan Lepota mit dem verständnislosen Verslein reagierte:

> Geh unrasiert durch meine Stadt,
> werd einmal in der Woche satt,
> sie nennen mich Kosmopolit,
> wieso bin ich Kosmopolit?

Selbstverständlich bezog er alsbald neue verdiente Prügel – wegen dekadenter Stimmungen und faulem Subjektivismus!

Dieser Mann sollte Alarm schlagen! Der Gedanke schien

zumindest absurd – geschlagen und gebeutelt, wie der Mann war. Aber je länger Samson Popjonkin die Sache drehte und wendete, desto sicherer wurde er, daß er keinen besseren Alarmglöckner fand.

Ja, Iwan Lepota bezog ständig Prügel und mußte sich anhören: »Schlecht schreibt er, Schund, es lohnt nicht, ihn zu lesen, liebe Leser!« Das war schon fast ein Verbot. Wer aber wüßte nicht, daß verbotene Früchte am süßesten schmecken? Die lieben Leser stürzten sich gierig auf Iwan Lepotas geschmähte Verse. Längst fand alles, was er schrieb, schärfstes Interesse. Allein schon sein Name war skandalumwittert genug, um die Alarmschläge zu verstärken. Und selbst wenn Iwan Lepota, der sich die Hand oft genug an Gedichten wundgeschlagen hatte, in dem Artikel nicht ganz auf der Höhe sein sollte, der Leser würde dennoch auf seiner Seite stehen. Nicht nur, weil der Leser in einem reinen Flüßchen baden und an einem reinen See ausspannen möchte. Nein, in Kitesh wird von alters her mit Gottesnarren und Erniedrigten sympathisiert, und Iwan Lepota war sowohl Gottesnarr als auch erniedrigt und nicht von dieser Welt. Fiele sein Alarmgeglöckel auch schwach aus, das Volk würde es dennoch hören und in Bewegung kommen.

Abzuwarten blieb freilich, ob Iwan Lepota mit dem Artikel zurechtkam. Er hatte oftmals Lagerfeuer am Flußufer, den Duft der Fischsuppe und die Trauerweiden gepriesen, und genau das war es, dessen Verderb in Rede stand. Also sollte er wenigstens einmal im Leben zürnen dürfen. Die richtigen Hände würden zur Alarmglocke greifen.

Nachdem Samson Popjonkin all dies bedacht hatte, verließ er spornstreichs sein Käfterchen und stürzte ans Telefon.

»Ist der Redaktionswagen frei? Nicht wegschicken, ein Eilauftrag.« Ein Hieb auf die Gabel, eine neue Nummer: »Tugobrylew brauch ich ... Hör mal, Kanonier, draußen vor der Tür wartet der Wagen. Du bist der einzige, der Iwan Lepota in der Stadt findet. Beeilung! Beeilung! Brandeilig! Schnapp ihn dir, aber sieh zu, daß du nicht hängenbleibst. Und sofort hierher, tot oder lebendig. Wenn er sich sträubt, sag ihm, ich hab Trost für ihn.«

Der verantwortliche Sekretär Samson Popjonkin verstand es, die Leute, die er brauchte, in Bewegung zu bringen.

Fünf Minuten später sauste der Fotoreporter Tugobrylew schon durch die Stadt, und eine halbe Stunde später wurde der künftige Alarmglöckner in der Redaktion abgeliefert.

5

Er war ein hochgewachsener, krummrückiger, ungefüger Kerl mit Affenarmen, die bis über die Knie herabhingen. Bei dem Kraftspiel der Draufgänger, in dem man den Arm des Gegners zur Tischplatte biegen muß, galt er in Kitesher Saufbrüderkreisen als unbesiegbar. Früher hatte er häufig seine hellblonden Locken besungen, die ihn »umflattern wie gelbes Laub«, doch von diesem Thema hatte er ablassen müssen, da der Prozeß des Umflatterns zu Ende gegangen war und sich anstelle des lockigen Gestrüpps ein müllbesäter Ödplatz gebildet hatte. Sein Gesicht, massiv und schläfrig, hätte als monumentales Beispiel für Kraft und Gelassenheit gelten können, wären nicht die verdächtigen, grämlichen Fältchen um die Augen und Mundwinkel gewesen, Spuren langjährigen Herzeleids wegen unbarmherziger Kritik. Nur die Augen, Spiegel der Seele, blickten noch immer mit hellblauer Naivität in die weite Welt.

»Na, Leben noch frisch, Iwan?« begrüßte Samson Popjonkin den Poeten.

»Wie in der Apotheke, in pharmazeutischen Dosen«, antwortete Iwan Lepota mürrisch.

> Geh unrasiert durch meine Stadt,
> werd einmal in der Woche satt ...

Hier war der Poet kaum aufrichtig, denn seine ständige Sorge war weniger »Unser täglich Brot gib uns heute« als vielmehr »Des Russen größte Freude ist das Trinken«. So maß er denn das Niveau seines Lebens an den handelsüblichen Flüssigkeitsmaßen. »Wie ist das Leben, Iwan?« – »Normal, bis zum Korken.« Oder aber: »Soso lala, ein Viertelliterchen.« Oder: »Für eine Ministerration wird's kaum reichen« (eine »Ministerration«, das waren hundertfünfzig Gramm). Die pessimistischste Variante lautete: »Wie in der Apotheke, in pharmazeutischen Dosen.«

»Eine ernste Sache liegt an, ich brauch deine Hilfe«, erklärte Samson Popjonkin ohne überflüssige Vorreden.

»Reimereien zum Feiertag?«

»Nein, ein Artikel.«

»Soll ich einen angehenden Versemacher vernichten?« fragte Iwan Lepota scharfsinnig.

»Alarm sollst du schlagen, Iwan.«

»In welcher Sache?«

»In Sachen der heiligen Losung: ›Wasser, Luft und Sonnenbräune, das sind unsere besten Freunde!‹«

»Wende dich an die Jungen Pioniere, laß die doch die Trommel rühren.«

»Das ist keine Sache für die, die reinen Wasser von Kitesh riechen nach Petroleum, hast du das noch nicht bemerkt, Meister der Lyrik?«

Und Samson Popjonkin gab eine sachlich gedrängte Erläuterung der Aufgabe.

»Hm ...«, Iwan Lepota griente. »Einst hast du noch nicht gesagt: Gegen wen geht der Alarm?«

»Na, von wem kommt denn deiner Meinung nach der Petroleumgeruch? Wer ist es, der dir und andern die Lyrik versaut?«

»Oho!« Des Poeten hellblaue Augen rundeten sich. »Das ist wirklich keine Sache für die Pioniere, Kallistrat anzumisten!«

»Kriegst du Bammel, Pegasus, ist dir der Hügel zu steil?«

Iwan Lepota blickte Samson Popjonkin beinahe respektvoll an.

»Mit Onkel Kallistrat ist nicht gut Kirschen essen, ob ihr euch nicht hinterher die Hosen trocknen müßt?«

»Du machst dir Sorgen um unsere Hosen?«

»Aha«, brummte der Poet verstehend, »nachher schiebt ihr alles auf mich.«

»Vielleicht. Ist dir das nicht egal?«

»Ist auch wieder wahr, ich bin ein hoffnungsloser Fall, ich habe nichts zu verlieren.«

»Möchtest du etwa nicht sehen, wie Onkel Kallistrat die Wände hochgeht nach deinem Alarmgeläut?«

»Möcht ich schon.«

»Übernimmst du's?«

»Für einen guten Freund das letzte Hemd. Weise mir einen Vorschuß an, ehe die Buchhaltung zumacht.«

»Nein, mein Lieber, ein Vorschuß würde deine Arbeitsfähigkeit beeinträchtigen.«

»Na, dann pump mir wenigstens 'n Fünfer!«

»Nicht mal einen Rubel! Den Artikel brauch ich morgen, wir geben grünes Licht, also – Fleiß und Nüchternheit eine Nacht lang. Morgen kriegst du das ganze Honorar, dann kannst du einen draufmachen!«

»Grünes Licht gegen Kallistrat Syrzow! Da staun ich aber!«

Samson Popjonkin geleitete Iwan Lepota respektvoll zur Tür. Draußen im Korridor stand Polina Kukuschewa, die Leiterin der Leserbriefabteilung – strenge Brille im Drahtgestell, prüde Gewissenhaftigkeit in den welken Zügen.

»Samson Jakowlewitsch, kann ich die Briefe haben?«

Polina pflegte zweimal täglich in Popjonkins Zimmer zu erscheinen – morgens, wenn sie die (ihrer Meinung nach) wichtigen Leserbriefe brachte, und abends, wenn sie sie wieder abholte. Das war ein altehrwürdiges Ritual, das die redaktionelle Arbeit in keiner Weise beeinflußte. Der von der laufenden Arbeit in Anspruch genommene Samson Popjonkin pflegte die Leserbriefe nicht einmal durchzublättern, denn er vertraute Polina völlig – lesen, beantworten, sortieren, archivieren.

»Iwan Stepanowitsch«, sagte Polina zu dem Poeten, »es ist ein Brief dabei, der Sie betrifft.«

»Was gibt's da?« fragte der Poet mit majestätischer Lässigkeit.

»Nichts Besonderes, man beklagt sich, daß unsere Zeitung zu selten Gedichte von Ihnen abdruckt.«

»Mit Recht.«

Samson Popjonkin klopfte dem Poeten auf die Schulter.

»Die Zeit verlangt nach rauher Prosa! Lieber Orpheus von Kitesh, auf deine Leser wartet eine angenehme Überraschung!«

Damit trennte man sich.

Wenn Polina, die so pünktlich war wie ein Schiffschronometer, ihre abendliche Visite abgestattet hatte, war der Arbeitstag zu Ende, und er konnte nach Hause gehen.

6

Wie immer nahm er seinen Heimweg nicht über die parademäßig breite, lärmende, hellerleuchtete Neue Brücke, sondern ging den direkten Weg über die Alte Brücke, aus Balken gebautes, klapprig gewordenes Erbe der längst ausgestorbenen Kutschen und Lastfuhrwerke, heute den Fußgängern vorbehalten.

Die Schritte knallten laut auf dem Bretterbelag. Mitten auf der Brücke blieb Samson Popjonkin stehen. Drunten floß das Flüßchen Kershawka, dessen jungfräuliche Reinheit von dem allmächtigen Kallistrat Syrzow und seinem Kombinat entehrt wurde.

Die Stadt ringsum versank in Nässe und Finsternis. Die Straßenlaternen verschwammen in der Feuchte, warm leuchteten die bunten Vorhänge in den Fenstern der Häuser. Stockwerk über Stockwerk, Familie über Familie rund um den Abendbrottisch. Die wackeren Kitesher tranken Tee und plauderten über dies und das – ob man am Zahltag mit einer Prämie rechnen könne, ob man dem ältesten Sohn zum Geburtstag einen neuen Anzug kaufen solle, außerdem der Umsturz in Chile, die isrealische Aggression und ob die Hockeyspieler vom ZSKA in diesem Jahr Meister bleiben würden. Die wackeren Kitesher dachten nicht an das an ihnen vorbeifließende Flüßchen Kershawka, sie ahnten nicht und wußten nicht, daß bald über ihrem entehrten Wasser die Schläge der Alarmglocke erschallen und daß sie alle, die jetzt friedlich Tee tranken, sich erheben würden. Einige mochten sich auf Kallistrat Syrzows Seite stellen, doch die Mehrheit war bestimmt gegen ihn. Kraft gegen Kraft – auf in den Kampf!

Drunten fließt das Flüßchen, raunt das entehrte Wasser. Er, Samson Popjonkin, zählt nicht zu den Säulen, die die Grundmauern der Stadt Kitesh stützen, er ist ein beschränkt verantwortlicher Mitarbeiter, hat die Weisheit nicht mit Löffeln gefressen, ist seiner Sinnesart nach kein Führer, kein großer Feldherr, aber von ihm hängt jetzt ab, ob sich Kraft gegen Kraft erhebt, ob die berühmte Stadt Kitesh in Bewegung gerät oder aber ob alles bleibt, wie es ist, still und ruhig, ohne feindliche Wirbel. Große Macht hat Onkel Kallistrat, doch nicht in seiner Macht liegt es, Armeen auszuschicken oder zurückzuhalten. In diesen Tagen kommandiert er, Samson Popjonkin, beschränkt verantwortlicher Redaktionssekretär.

Das Flüßchen fließt, und über ihm steht der Mann, der auf seine Sternstunde wartet. Mit hallenden Schritten geht ein Passant vorüber. Er ahnt nicht, daß er in diesem Moment nur zwei Schritte entfernt ist von der verkörperten Größe, die das Schicksal der Stadt in der Hand hält.

Der Passant verschwand in der Dunkelheit, seine Schritte verstummten. Der große Mann beugte sich über das Geländer, um seinen Bundesgenossen zu betrachten, um das verschwörerische Raunen des Wassers zu hören. Aber nur schimmliger Kellermuff drang ihm in die Nase, und ihm war, als hätte er einen Blick in die Unterwelt der Stadt, in ihre Hölle getan.

Samson Popjonkin seufzte und wandte sich ab, und seine Schritte knallten über die Brücke. Je näher er seinem Hause kam, desto weniger dachte er an die bevorstehenden Schlachten, desto hartnäckiger drangen die häuslichen Sorgen auf ihn ein – die Frau kränkelte, er mußte ihr einen Kurscheck nach Shelesnowodsk besorgen, die Tochter stand vor dem Abschluß der zehnten Klasse, das Mädchen hatte nur Wind im Kopf, ein Wohnungstausch mit Draufzahlung stand ins Haus, er mußte sich wieder in Schulden stürzen... Schritt um Schritt näher dem Hause zu, kam es mit ihm zu einer Neugeburt – der große Schicksalsvollender in ihm starb, »dem Tod durch den Tod widerstanden«, und der stille Familienvater hatte seine Auferstehung.

7

Ob der für die Stadt Kitesh epochale Zusammenstoß – Kraft gegen Kraft! – stattfand oder nicht, hing zugegebenermaßen nicht ausschließlich von Samson Popjonkin ab, sondern auch von dem Chefredakteur Kryschew. Und wenn Popjonkin das Alarmläuten noch so gut organisierte, Kryschew konnte seinen Segen verweigern. Darum bemühte sich Samson Popjonkin, seine Zurüstungen vorderhand geheimzuhalten, um seinen Chef nicht vorzeitig zu vergrämen.

Sie waren fast gleichaltrig, und anfangs hatte Samson Popjonkin auf dem Lebenspfad sogar einen Vorsprung gehabt. Ein Jahr vor Kryschew hatte er das Pädagogische Institut zu Kitesh abgeschlossen, früher als jener hatte er auf sich aufmerksam gemacht, indem er ein paar lebensbejahende Gedichte veröffentlichte – »Schwierigkeiten sind nicht schlimm, das Leben brennt wie Sprit« – und war Zeitungsreporter geworden. In dieser Zeit fing Ilja Kryschew erst an, durch die breiten Korridore einer städtischen Institution zu schnüren, und er war dort der allerallerkleinste Mitarbeiter, und er schnürte in einem seitlich-scheuen Trippelgang, und er trug eine ulkige warme Weste Marke »Es war einmal eine Großmutter, die hatte ein graues Böcklein«. Viele Jahre später schnürte Ilja Kryschew in dem gleichen seitlich-scheuen Trippelgang, allerdings in einem strengen Anzug anstelle der altväterischen Weste, an Samson Popjonkin vorüber ins Arbeitszimmer des Chefredakteurs.

Das Schicksal ist eine Festung, laß dir nicht einfallen, sie frontal zu berennen. Sie ergibt sich nur solchen, in deren Charakter die Natur etwas Seitliches gelegt hat und denen das Gradlinige abgeht.

Von Zeit zu Zeit klingelte in Samson Popjonkins Arbeitszimmer fordernd das Telefon.

»Nun, wie stehen unsere Dinge, Samson Jakowlewitsch?«

»Alles in Butter.«

»Der Artikel schon in Auftrag gegeben?«

»Den kriegen wir. Ich versprech's.«

»Alarm sollst du schlagen. Alarm!«

»Das machen wir, keine Sorge.«

»Handle, mein Lieber, handle. Ich verlaß mich ganz auf dich. Man hat mich schon angerufen, nachgehakt.«

Vor dem Chefredakteur verbarg Samson Popjonkin am allersorgfältigsten, wer der Autor des Alarmartikels sein würde, denn allein der Name Iwan Lepota konnte die Entschlossenheit des jeglichen Extremen abholden Ilja Kryschew ins Wanken bringen.

Und Iwan Lepota saß just in diesem Moment Samson Popjonkin gegenüber, schwitzend, leidend, stöhnend, schimpfend, von Zeit zu Zeit die vollgeschriebenen Blätter an sich raffend und mit türenknallendem Abgang drohend. Die schöpferische Arbeit am Alarmartikel war in vollem Gange.

Man kann nicht sagen, daß Iwan Lepota seine Aufgabe nicht bewältigt hätte, durchaus nicht. Sein Artikel begann mit einem erhabenen Hymnus auf die üppige Schönheit der Kitesher Natur, auf die Erde, der saftige Gräser entsprossen, auf das Naß, das sich in Quellbächen sammelte, auf den zarten Kampf dieser Bäche, darauf, wie die kleinen Bächlein von den größeren besiegt wurden, die zu Flüssen anwuchsen... Dieser lyrisch durchbebte Hymnus mündete unvermittelt in beißende Selbstgeißelung: »Hört nicht auf mich! Glaubt mir nicht, ihr Menschen!« Er, Iwan Lepota, lüge, wenn er die frischen Gräser und die reinen Wasser, das Räuchlein des Angelfeuers und den Duft der Barschsuppe lobpreise. Das alles gebe es gar nicht! Die reinen Wasser seien vergiftet, die Fische seien vergiftet, längst sei der Rauch der Anglerfeuer zerweht, das glückliche Lachen badender Kinder verklungen...

An dieser Stelle hatte Iwan Lepota mit vielsagenden drei

Punkten geendet.

Nichts zu sagen, das ging direkt an die Tränendrüsen, aber als Alarmgeläut war es nicht geeignet. Es war eher die Klage der Fürstin Jaroslawna* zu Putiwl auf dem Wehrgang als ein Alarmruf.

Samson Popjonkin forderte denn auch autoritativ von dem Poeten Iwan Lepota Alarm nebst Entlarvung: das Kitesher Kombinat leite mit Duldung des Direktors Kallistrat Syrzow täglich soundso viele Tonnen vergiftete Abwässer in den Fluß, im Monat soundso viele, im Jahr...

»Laß das Motiv des stürmischen Anschwellens erklingen«, redete der verantwortliche Sekretär dem widerborstigen Lyriker zu, der von seinem Schaffen her eher an rührselige Tränen gewöhnt war. »Der Leser muß von den Zahlen erschlagen, erdrückt werden. Angst muß ihn packen – nein, nicht nur um das zum Tode verurteilte Flüßchen Kershawka, sondern kosmische Angst – unser ganzer Planet ist in Gefahr!«

Hadernd und stöhnend schickte sich der Lyriker in die eiserne Notwendigkeit. Aber Samson Popjonkin war mit seinem Sieg noch nicht zufrieden.

»Und jetzt mußt du den Zorn des Lesers wecken: Teile ihm mit, daß unsere Zeitung den Kombinatsdirektor schon mehrfach auf die drohende Gefahr hingewiesen hat. Hier hast du die Nummern und die Artikelüberschriften. Zähl sie auf, sie sollen klingen wie Hammerschläge, die die Nägel in Onkel Kallistrats Sarg treiben!«

Der Artikel wurde mit vereinten Kräften fertiggestellt. An seinem Ende stand der Aufschrei der Erniedrigten und Betrogenen, der sich in folgender Form Bahn brach: »Wie lange noch?« Ein wahrhaft titanisches Crescendo, das den Alarmruf abschloß.

Iwan Lepota wischte sich das schweißige Haupt.

»Uff!« Mit furchtsamem Respekt richtete er den hellblauen Blick auf seinen Redakteur. »Mein Lieber, du bist ja wie der

* Gestalt aus dem altrussischen Igor-Lied – A. d. Ü.

Räuber Solowej.* Meinst du wirklich, daß der Chef diesem ›Köter die Schlinge umlegt‹? Da kann er sich gleich selber die Schlinge umlegen.«

Statt einer Antwort telefonierte Samson Popjonkin nach der Stenotypistin.

»Gleich wird unser Alarmruf mit allen Schikanen abgetippt«, eröffnete er dem Poeten. »Und du, Lyriker, verduftest am besten. Versteck dich irgendwo weit weg, ich mach allein weiter.«

»Hals- und Beinbruch, du kleiner Räuber Solowej.«

»Geh zum Teufel! Geh zum Teufel! Verschwinde!«

Eine gute halbe Stunde später lag der mit allen Schikanen abgetippte Artikel vor Samson Popjonkin, mit »Köter«.

Mit »Köter« bezeichnen die Zeitungsleute in ihrem Jargon leider sehr respektlos den wichtigsten Teil jedes Manuskripts, das die Redaktion durchläuft. Der »Köter«, das ist die Fassade des Manuskripts, sein Kopf, sein offizieller Paß, wo sämtliche Daten eingetragen werden: Redakteur, Abteilung, Abgabetermin, Ausgangsnummer usw. usf. Ohne »Köter« ist jedes Manuskript ein Iwan-ich-weiß-nichts-von-meiner-Geburt. Aber auch ein »Köter« ist ohne die Eintragung der grundlegenden Entscheidungen, durch gewichtige Unterschriften beglaubigt, ein Garnichts.

Manche »Köter« durfte Samson Popjonkin selbst mit seiner Unterschrift schmücken, was »die Schlinge umlegen« genannt wurde, ohne sich mit dem Chefredakteur abgesprochen zu haben. Diesen »Köter« aber durfte – und wollte – er nicht anrühren, die Verantwortung war gar zu groß.

Noch einmal überlas Samson Popjonkin den ganzen Artikel von oben nach unten und von unten nach oben, verbesserte ein paar Tippfehler, saß dann eine Minute lang träumend und stand endlich entschlossen auf.

»So, Ilja Makarowitsch! Auf in den Kampf!«

* Altrussische Legendengestalt – A. d. Ü.

8

Kaum lag der Artikel auf dem grünen Gefilde des Chefschreibtischs, erregte er schon Bestürzung.

»Waaas? Iwan Lepota hat das geschrieben?«

Genau damit hatte Samson Popjonkin gerechnet. Ilja Kryschew sollte sich erst mal empören, ehe er den Artikel las. Verschlang er ihn gleich auf einen Sitz mitsamt dem Namen des Autors, so wäre das gar zu schwer verdauliche Kost. Mochte er für den Anfang erst mal eine kleine Pille schlucken.

»Iwan Lepota hat das geschrieben?«

Samson Popjonkin zuckte mit keiner Wimper, sondern wartete gelassen, daß die Bestürzung des Chefredakteurs hinüberwuchs in Entrüstung.

»Konntest du nicht einen Mann mit ein bißchen mehr Autorität finden? Wieso ausgerechnet diesen hoffnungslosen Fall? Diese anrüchige Figur!« Kryschews Stimme war von Haus aus nicht dafür eingerichtet, in ehernem Zorn zu dröhnen, sie klirrte eher blechern.

Samson Popjonkin blickte teilnahmslos in das trübe Auge des schweigenden Fernsehapparats.

»Das bedeutet doch, ein so wichtiges Thema zu kompromittieren!«

»Wen hätten Sie denn vorgeschlagen?« fragte Samson Popjonkin leise und mit unerschütterlicher Höflichkeit.

»Na jeden andern, jeden, der bei uns Autorität besitzt! Wenn nicht den Raufbold, dann Kawytschko. Zur Not sogar diesen Tschur. Es ist doch keiner dermaßen anrüchig wie dieser Lepota!«

»Genauso ist es, die andern sind nicht anrüchig, sondern besitzen Autorität«, pflichtete Samson Popjonkin ihm bei.

Kryschew horchte auf wie ein Hase, der Schritte knarren hört. Es war an der Zeit, Argumente auszupacken.

»Wenn diese Autoritäten, diese nicht anrüchigen Genossen in unserer Zeitung einen Alarmartikel – jawohl, einen Alarmartikel! – veröffentlichen, dann ist für alle und jeden völlig klar:

Der Alarm ist mit Ihnen abgestimmt. Sie sind der Besteller des Alarmartikels, der Initiator. Meinen Sie, auch nur ein einziger Mensch würde glauben, daß Tschur oder Kawytschko auf eigene Initiative die Glocken läuten, die ganze Stadt aufstören? Welcher Idiot würde denen soviel Mut und Entschlossenheit zutrauen? Wollen Sie denn die ganze Verantwortung selber tragen, Ilja Makarowitsch?«

Ilja Kryschew wurde verlegen – als Urheber des Alarms zu gelten war das letzte, was er sich wünschte. Er war verlegen, gab aber noch nicht auf.

»Aber Petrow-Raufbold ist sozusagen imstande, es auf eigenen Wunsch zu tun. Ihm kann man Entschlossenheit nicht absprechen.«

»Sind Sie denn sicher, wenn man diesen Alarmglöckner Petrow-Raufbold am Genick packt und befragt, daß er dann nicht auf Sie zeigt?«

Ilja Kryschew schwieg, denn sicher war er in der Tat nicht. Samson Popjonkin stieß nach.

»Der Alarmartikel kann doch auch in die Hose gehen. In diesem Falle möchte ich weder Sie noch mich auf dem Präsentierteller sehen.«

Der Chefredakteur hüstelte verdutzt.

»Hm! Aber es wird doch auch dem Lepota kein Mensch glauben, daß er selbst, ohne unsere Hilfe...«

»Iwan Lepota ist Iwan Lepota. Keine Autorität, anrüchig, mehr noch, ein hoffnungsloser Fall. Bei ihm muß man auf alles gefaßt sein, sogar auf Alarmgeläut. Er hat uns seinen Artikel angeboten. Das Thema ist reif, brennend aktuell, wir haben es auch früher schon behandelt. Niemand darf sich darüber wundern, daß wir den Artikel angenommen haben. Und ein bißchen dicke macht er's... Dafür ist er Iwan Lepota. Er ist der nackte Mann, dem man nicht in die Tasche fassen kann. Wir haben sogar versucht, den Artikel zu stutzen, aber Iwan hat sich gesträubt. Kurz und gut, wir sind nicht die Initiatoren des Alarms, der Glöckner hat von sich aus geläutet.«

»Hm! Weißt du, da ist was dran...«

Samson Popjonkin zuckte die Achseln und schlug völlig gleichmütig vor: »Übrigens, Sie können je Petrow-Raufbold anrufen. Der macht bestimmt gern mit.«

»Nein, nein! Du hast recht. Lepota ist besser geeignet. Der schlägt Alarm? Ja, auf eigene Initiative!«

Das erste Scharmützel war gewonnen, Samson Popjonkin warf die Herausforderung zum zweiten, entscheidenden Scharmützel hin: »Ilja Makarowitsch, lesen Sie doch mal den Artikel. Der schlägt solchen Alarm, daß man das Taumeln kriegt.«

Der Chefredakteur vertiefte sich in die Lektüre.

Anfangs nickte er befriedigt, sein Antlitz glättete sich, und es entfuhr ihm sogar im Überschwang der Gefühle der Ausruf: »Talent hat er, der Hundesohn! Das kann man ihm nicht absprechen.«

Samson Popjonkin begriff, daß sein Chef gerade eben die »Klage der Jaroslawna« um die saftigen Gräser und die reinen Wasser gelesen hatte.

Aber dann wurde Kryschew traurig, dann nahm er straffe Haltung an, versteinerte, schob endlich jäh das Manuskript weg und warf ein gewichtiges »Nein!« hin wie eine Granate.

Samson Popjonkin zuckte gleichmütig die Achseln.

»Von mir aus ... Dann gibt's keinen Alarm.«

»Nicht so scharf! Nicht so scharf soll er sein!«

»Nicht so scharf, das wäre dann das übliche Gebimmel, aber kein Alarmgeläut.«

»Doch ist es Alarmgeläut! Aber ohne Hinweis auf Personen. Ich habe nicht die Absicht, mit Kallistrat Syrzow handgemein zu werden.«

»Dazu habe ich erst recht keine Lust«, pflichtete Samson Popjonkin bereitwillig bei.

»Eben, eben! Das nehmen wir raus, das rücken wir zurecht, so daß keine Spur übrigbleibt. Keine Spur!«

Wieder ein gleichmütiges Achselzucken.

»Bitte sehr. Das muß nicht ich verantworten, Sie müssen es.«

»Wie denn ... verantworten?« Zitternde Stimme, feindselig blickendes gerundetes Auge.

»Wir haben auch früher schon so manches Mal wegen des Flüßchens Kershawka gebimmelt... ohne Hinweis auf Personen.«

»Na und?«

»Man hat Ihnen doch die Unzufriedenheit ausgesprochen. War's nicht so?«

»Ja, man hat.«

»Und hat man Sie gebeten, Alarm zu schlagen?«

»Aber niemand hat mich gebeten, mit dem Finger auf... auf den Genossen Syrzow zu zeigen!«

»Zeigen? Mit dem Finger? Ich bitte Sie! Einen solchen Recken kann man mit dem Finger nicht fällen. Man hat von Ihnen verlangt, lautstarken Alarm zu schlagen, die Massen gegen ihn auf die Beine zu bringen. Also muß es dafür eine drastische Notwendigkeit geben, wenn man Ihnen nahelegt, eine so entschlossene Aktion einzuleiten. Sie können natürlich so tun, als hätten Sie diese Notwendigkeit nicht begriffen, als hätte es Sie nicht erreicht. Aber, Ilja Makarowitsch, zusammenarbeiten müssen wir nicht mit Onkel Kallistrat, sondern mit den Genossen, die sich das wohlüberlegt haben... bis hin zu solch extremen Maßnahmen wie dem Alarmartikel.«

Samson Popjonkin hatte es für notwendig gehalten, sich so auszudrücken: »Zusammenarbeiten müssen wir«, dabei wußte Kryschew sehr wohl – mit jenen Genossen zusammenarbeiten mußte er allein. Er und nur er, der Chefredakteur Kryschew, war bei der Zeitung mit den Außenbeziehungen befaßt; er und nur er, nicht aber Samson Popjonkin würde Dresche beziehen, wenn er eine zu lange Leitung zeigte.

Eine Minute lang, noch eine starrte er stumm auf seinen verantwortlichen Sekretär. Dann fand er die Gabe des Wortes wieder.

»Meinst du?«

»Geb's Gott, daß ich mich irre.«

»Tjaa...«

In dem rosig angelaufenen Gesicht des Chefredakteurs spiegelten sich jene zugespitzten dialektischen Widersprüche, die

die Weisheit des Volkes in den Satz kleidet: »Er möcht schon, doch er fürchtet sich.«

»Tja... So weit hab ich noch gar nicht gedacht.«

Und plötzlich, es ging blitzschnell, befand sich das Manuskript in einem Aktendeckel, und Ilja Kryschew war wie umgewandelt – drahtig entschlossen und bereit, jetzt gleich in die gewohnte Sphäre seiner Tätigkeit einzutauchen.

»Ich fahr gleich hin und leg den Artikel vor, wir bereden ihn, stimmen ab, setzen den Punkt auf das i.«

Samson Popjonkin hielt ihn kühl zurück.

»Tun Sie das nicht.«

»Wieso denn nicht?«

»Sie erwarten, daß man Ihnen eine direkte Weisung gibt – schlagen Sie mit voller Wucht den unverbesserlichen Onkel Kallistrat ins Genick?«

»Ich muß doch eine genaue Weisung kriegen!«

»Wenn man dort genaue Weisungen geben könnte, würde die Sache offen laufen. Urteilen Sie selbst, dann hätte man sich nicht an uns zu wenden brauchen. Es ist doch viel einfacher, die Frage Kallistrat aufzuwerfen, einen entsprechenden Beschluß zu fassen, und basta! Nein, man hat den Alarmartikel verlangt, doch der Name Kallistrat Syrzow, gegen den der Alarm gerichtet ist, wurde nicht mal erwähnt. Meinen Sie, das kommt von ungefähr? Stellen Sie sich mal vor, was das für einen Eindruck macht, wenn Sie direkte Weisungen verlangen.«

»Ich verstehe kein Wort!«

»Ich finde, alles ist klar: Der Name Kallistrat Syrzow muß von selbst in den Dreckwassern des Flusses Kershawka aufschwimmen.«

»Von selbst, sieh einer an.«

»Iwan Lepota hat ihn nach oben gezogen.«

»Tjaa... Knifflige Sache.«

»Ich habe mein Werk getan – der Alarmartikel liegt vor. An Ihnen liegt es, ihn freizugeben oder rauszuschmeißen.«

»Wenn wir ihn nicht freigeben, die merken sich das!«

»Genau.«

»Wenn wir ihn freigeben, können wir auf die Schnauze fliegen.«

»Das ist nicht ausgeschlossen.«

Samson Popjonkin zeigte mit seiner ganzen Miene: Mein Name ist Hase, ich weiß von nichts. Ilja Kryschew hingegen krümmte sich unter den dialektischen Widersprüchen: Er möcht schon, doch er fürchtet sich. Er nestelte den Aktendekkel wieder auf, holte das Manuskript heraus, besichtigte es von vorn und von hinten und reichte es mit einem Seufzer Samson Popjonkin.

»Wir müssen es machen«, sagte er trübselig. »Gib es in Druck.«

»Was soll das heißen?« staunte Samson Popjonkin. »Ohne Ihre Unterschrift?«

»Kannst du die Sache nicht allein zu Ende bringen?«

Das Manuskript des Artikels mitsamt dem »Köter« schwebte über dem grünen Tisch, dem Samson Popjonkin dargereicht. Du lieber Gott, welch naives Kalkül: Gib den Artikel in Druck, setz deine eigene Unterschrift auf den »Köter«, dann kann man ihn notfalls aus dem Archiv holen und dokumentarisch nachweisen – ich hab damit nichts zu tun, ich hab den nie in der Hand gehabt, die Geschichte hat der verantwortliche Sekretär Samson Popjonkin eingerührt, haut den ins Genick! Nein, mein lieber Genosse Kryschew, Samson Popjonkin ist ein oft beschossener Spatz, der nimmt nicht Spreu für Körner.

Samson Popjonkin stand auf.

»Wenn Sie das nicht entscheiden können, Ilja Makarowitsch, dann kann ich die Verantwortung erst recht nicht übernehmen.«

»Du ziehst den Schwanz ein?«

»Natürlich. Legen wir die Sache dem Redaktionskollegium zur Erörterung vor, und wenn die mich beauftragen, die Sache zu Ende zu führen, dann mach ich's. Ansonsten krieg ich nachher eins auf den Hut, daß ich meine Befugnisse überschreite und so etwas über Ihren Kopf hinweg entscheide.«

Eine würdevolle Antwort, dazu ein ehrlicher, gerader Blick in

Ilja Kryschews Pupillen.

Im Redaktionskollegium erörtern... Nun, nach solch einer Erörterung würde Onkel Kallistrat eine halbe Stunde später genau Bescheid wissen und auf die Palme gehen. Und dann... Dann würde der Alarm auf Ilja Kryschews armes Haupt niederdröhnen.

Die Hand, die das Manuskript samt »Köter« darreichte, sank nieder.

»Na schön«, sagte Ilja Kryschew unfroh. »Laß mir den Artikel da. Ich überleg mir das.«

»Überlegen Sie, Ilja Makarowitsch, überlegen Sie. Aber Ostern werden die Eier teuer.«

»Komm in einer Stunde wieder zu mir.«

In einer Stunde ging der Arbeitstag zu Ende.

Es war Abend, ein gewöhnlicher Herbstabend mit Nieselregen vor dem Fenster. Die nasse Finsternis verhüllte die kahle Kathedralenkuppel.

Ilja Kryschew mochte doch noch mit dem und jenem telefoniert und hintenrum bestätigt bekommen haben, daß das Osterei gerade jetzt außerordentlich zupaß käme. Er thronte hinter dem grünen Gefilde seines Schreibtischs, sorgenvoll und mißmutig, und vor ihm lag der leidige Artikel.

»Nun denn...«, begann er, sprach aber nicht weiter, sondern griff nach dem Glas mit den gespitzten Bleistiften und nahm mit wohltrainiertem Griff den dicken Rotstift heraus, den die Bleistiftfabrik »Sacco und Vanzetti« als »Chefstift« verkaufte. Kryschews Hand zeichnete eine schwungvolle Schlinge auf den »Köter« und entließ damit den Artikel des Iwan Lepota in die abgesicherte Zone des gedruckten Wortes.

»Nimm!« Er schnippte das Manuskript Samson Popjonkin zu.

Wahrscheinlich ertönte in der Stille des Herbstabends ein kaum hörbares Knarren – das Rad der Kitesher Geschichte hatte eine Umdrehung vollzogen.

9

Wieder geht er über die Alte Brücke, wieder bleibt er über dem in der Dunkelheit raunenden Flüßchen Kershawka stehen.

Jetzt dreht sich bereits im treuen Dienst der Stadt Kitesh die Rotationsmaschine und spuckt Zeitungskolumnen aus. Ihren schnellen Lauf zu stoppen ist nahezu unmöglich. Morgen früh werden die Postboten von Haus zu Haus laufen, in der prallen Tasche die Zeitungen mit dem Artikel des Iwan Lepota, der zum Schutz des entehrten Flusses Kershawka aufruft. Und das grimmige Alarmgeläut wird auf das stolze Haupt Kallistrat Syrzows niederdröhnen.

Mächtig ist Onkel Kallistrat, Reckentaten vollbringt er in der Stadt Kitesh. Er ist es, der mit seinem Kombinat half, die breite Asphaltchaussee zu bauen, die Kitesh mit dem Rest der Welt verbindet. Er ist es, der im Stadtzentrum den geräumigen, hellen Kulturpalast errichtete. Auch das Stadion hat er angelegt. Gäbe es nicht das Kombinat mit Kallistrat Syrzow an der Spitze, wären dann etwa ganze neue Wohnviertel emporgewachsen mit neuen Läden, neuen Filmtheatern, neuen Kindergärten – das Tscherjomuschki* von Kitesh? Die Stadtväter gehen oft mit der Mütze in der Hand zu Onkel Kallistrat: Hilf! Gib für den Umbau der Kanalisation, gib für die Gasversorgung, für den Bau des Heizkraftwerks, für die Wohnungssanierung, für die Begrünung. Ohne dich, welcher du bist, der heißgeliebte Kallistrat Polikarpowitsch Syrzow, würden wir in unserer Not ersaufen.

Und Onkel Kallistrat wirft reichliche Gaben in die Mützen, doch manchmal lehnt er auch ab: Gott wird geben, Väter, eure Mützen sind bodenlos. Wenn er einen schon zu Gott schickt, ein anderer würde einen sonstwohin schicken. Ein wahrer Recke ist er, keine Frage, aber erinnern soll er sich, unter welchem Himmel er lebt, in welche Erde er die Wurzeln senkte.

* Neubauviertel von Moskau – A. d. Ü.

Der ruhmreiche Ilja Muromez* hat auch beim Fürsten Wladimir Rote Sonne* im tiefen Keller gesessen.

Die Geschichte lehrt, daß es keinen Recken gibt, der nicht eine schwache Stelle hätte. Der brave Grieche Achilles zum Beispiel hatte seine schwache Stelle an der Ferse, und trotzdem haben sie sie aufgespürt und ihn gefällt. Onkel Kallistrats schwache Stelle ist die Filtrierung. Die Schlote seines Kombinats blasen rötliche »Fuchsschwänze« in die Luft, von denen die Blätter an den Bäumen verschrumpeln, und aus den Werkhallen strömt ein Dreck in den Fluß, daß die Fische krepieren und das Wasser stinkt, nicht nur im Fluß, sondern auch im See. Dabei war die Stadt Kitesh von alters her berühmt für ihre reinen Wasser, von denen Märchen erzählten und Lieder sangen. Folglich ruht Kallistrat Syrzows ganze Macht auf seinen Achillesfersen, und gegen die muß der Streich geführt werden.

Die Rotationsmaschine speit Zeitungskolumnen aus. Unter der Brücke raunt das nicht mehr ruhmreiche Wasser der Kershawka. Die Stadt Kitesh rüstet zur Ruhe. Auf der Brücke steht ein Mann, der die Stadt in die Attacke wirft. Gestern hätte er, Samson Popjonkin, die Lawine noch zum Stehen bringen können. Er hätte es gekonnt, aber er hat es nicht gewollt. Jetzt ist die Lawine in Bewegung geraten. Noch hört niemand ihr drohendes Rutschen, noch ahnt niemand, daß sie morgen niederdonnern wird – Lärm, Qualm, feindliche Wirbel! Es geht los! Und weder Samson Popjonkin noch sonst jemand kann sie aufhalten.

Kraft gegen Kraft! Wer wird obsiegen in dieser sich aufbäumenden Stadt?

Samson Popjonkin hat Onkel Kallistrat den Krieg erklärt, aber er hat keineswegs vor, sich Hals über Kopf in die Reihen der Gegner des Kombinatsdirektors zu stürzen. Kallistrat Syrzow hat die Kraft eines Recken, und man weiß noch nicht, wer obsiegt. Wer möchte schon geschlagen werden?

Samson Popjonkin stand auf der Brücke, lauschte dem Rau-

* altrussische Legendengestalten – A. d. Ü.

nen des Flüßchens, und es war nicht so, daß er überlegte und abwog, nein, er genoß einfach den Augenblick: In ihm besaß die Stadt Kitesh jetzt einen Propheten, der die Fähigkeit hatte, Dinge für den nächsten Tag vorauszusagen, die den gewöhnlichen Sterblichen verborgen blieben.

Auf der Brücke ertönten hastige Schrittchen, aus der Dunkelheit tauchte eine zierliche Gestalt auf und prallte gegen Samson Popjonkin, der in schicksalhafter Einsamkeit ins rätselhafte Morgen schaute.

»Oi!«

Brille mit Drahtgestell, bleiches, erschrockenes Gesicht.

»Ach, Sie, Samson Jakowlewitsch! Sie haben mich erschreckt!«

Es war Polina Iwanowna, Bewahrerin der Leserbriefe, die Samson Popjonkin zweimal täglich aus dienstlichen Gründen aufzusuchen pflegte.

Samson Popjonkin tauchte aus seiner prophetischen Trance.

»Wo wollen Sie denn so spät noch hin, Polina Iwanowna?«

»Wohin? Nach Hause. Ich wohn doch gleich um die Ecke, in der Uferstraße.«

»Ja so. Gute Nacht, Polina Iwanowna.«

»Gute Nacht, Samson Jakowlewitsch.«

Sie trennten sich, um sich tags darauf wieder zweimal zu begegnen.

Samson Popjonkin vergaß Polina sofort. Offenbar war er soeben seiner prophetischen Gabe verlustig gegangen, sonst wäre er gewahr geworden, daß diese stille, unauffällige Frau gleichfalls unter das Rad der Geschichte geraten würde. Er näherte sich seinem heimischen Herd, seinen Hauslatschen, dem erkalteten Abendessen, der sorgenvollen Frau, und so starb denn das Große wieder in ihm, »dem Tod durch den Tod widerstanden«, und der wohlmeinende Familienvater hatte seine Auferstehung.

Auch Polina vergaß Samson Popjonkin sofort. In ihrer Seele regte sich überhaupt nichts, wurden keinerlei Vorahnungen geboren. Woher auch? Schließlich besaß sie keine prophetische Hellsicht.

10

In der guten alten Zeit ging es rührend einfach zu. Irgendein Iwanko der Scheele oder Motka der Kurze, aufgehetzt von »Neunmalklugen«, erklomm geschwind den Glockenturm, hängte sich in die Stränge und... alle sprangen vom Ofen in den Rock, rafften die Pelzjoppe vom Nagel und eilten zum Platz. Nachdem sie sich mit Geschrei und Gerauf über die scharf gestellte Frage geeinigt hatten, zogen sie einträchig zum Gehöft eines vornehmen Stadtoberhaupts, zerrten ihn am Bart heraus, schlugen ihm den Kopf ab, verwüsteten sein Haus samt Wirtschaftsgebäuden, setzten den roten Hahn aufs Dach und kletterten wieder auf ihre Öfen mit dem Bewußtsein, einer gesellschaftlichen Pflicht Genüge getan zu haben. Bis zum nächsten Alarmgeläut. Operativ, ohne bürokratisches Getrödel und vor allem demokratisch.

Heutzutage ist das leider anders.

Es ist tiefster Herbst, der sich in die Länge zieht, und der neue Tag beginnt nicht am Morgen, sondern in der alten Nacht, die vom durchlebten »Gestern« übriggeblieben ist.

Unter den Laternen liefen die Postboten mit prallvollen Taschen durch die Dunkelheit, direkte Nachfahren jenes Iwanko des Scheelen und Motka des Kurzen, die in alter Zeit hier Alarm schlugen, das ehrliche Volk auf dem Platz zusammenriefen und mit Geschrei und Knüppelhieben die scharf gestellten Fragen entschieden. Heute suchten sie die Tür eines jeden Abonnenten auf und zwängten den Alarmruf durch die Blechschlitze der Briefkästen. Auf Plätzen und bei Autobushaltestellen öffneten die Kioske – geh hin, Passant, mach den kleinen Umweg, wirf eine Münze hin und empfange dafür den Alarmaufruf. Kein Geläut, kein Hetzschrei, keine Hektik – nur Zeitungsgeraschel.

Die Zeitungen rascheln beim morgendlichen Tee, sie rascheln in den Bussen, sie rascheln in den Betrieben... Der gewöhnliche Leser sucht den Zugang zum gedruckten Wort am liebsten nicht durch die Haustür, sondern durch den Hintereingang – er beginnt die Lektüre auf der letzten Seite in der Hoffnung, auf irgendein Ereignis zu stoßen. Aber in der Stadt Kitesh herrscht Sauregurkenzeit, schon lange hat niemand Kinder aus einem brennenden Haus geschleppt, einen alten Schatz entdeckt oder einen Rekord gebrochen, selbst Fußball- und Hockeyspiele finden im Herbst nicht statt, können mithin auch nicht besprochen werden. Darum geht der gewöhnliche Leser von der letzten Seite geschwind zum Innenteil über, und schon stößt er auf den Artikel des Iwan Lepota »Wie lange noch?«

Nein, der gewöhnliche Leser zuckt nicht zusammen, er schreit nicht auf, er springt nicht in die Höhe, er läßt nicht alles stehen und liegen, sondern liest den Artikel konzentriert schnaufend bis zur letzten Zeile, die mit dem Alarmcrescendo »Wie lange noch?« endet, steckt die Zeitung sorgfältig ein und hält Umschau in der Hoffnung, einen Gesprächspartner zu finden, dem er seine geheiligte Lesermeinung darlegen kann.

Wer an diesem Tag in der Stadt Kitesh einen Bekannten traf, fragte nach dem »Guten Tag« (manchmal sogar statt des Grußes) ungeduldig: »Haben Sie gelesen?«

»Und ob, und ob! Für Kallistrat ist das ein Nagel, bis zum Kopf eingeschlagen.«

»Nein, denken Sie bloß!«

»Denken oder nicht, wenn das so weitergeht, hat er uns alle so in drei Jährchen ... vergiftet.«

»Die Kershawka, Verzeihung, die stinkt schon wie ein Abflußrohr.«

»Das ist sie ja auch.«

»Ich weiß noch, früher gab's da Gründlinge. Als Kinder haben wir die mit der Hose gefangen.«

»Der See wird versaut, man weiß nicht mehr, wohin im Sommer.«

»Ist Ihnen schon aufgefallen, daß es heute viel mehr Glatzköpfe gibt als früher?«

»Aber, aber, was hat denn Kallistrat mit den Glatzköpfen zu tun?«

»Na, ganz direkt, ganz direkt! Meinen Sie, er verdreckt das

Wasser einfach so? I wo, mit Strontium, mit Strontium! Das erste Anzeichen für Radioaktivität: Die Haare fallen aus. Gukken Sie doch mal nach Japan, in Hiroshima laufen Männer und Frauen so kahl rum wie ein Knie. Zuerst gehen die Haare flöten, dann wird das Blut weiß statt rot, und dann... Feierabend für uns alle, Leute, Feierabend!«

Niemand rannte auf den Platz, niemand schrie aus vollem Halse, niemand griff nach dem Knüppel, und niemand schickte sich an, den ruhmreichen Kallistrat Syrzow einen Kopf kürzer zu machen. Aber zum Geraschel der Zeitungen wurde allerhand geredet, und die Stadt begann zu brodeln wie ein Kessel Hopfenbier. Und in diesem Gebrodel geschah unmerklich, nach und nach eine Verwandlung. Irgendein Pjotr Petrowitsch, einer der gewöhnlichen Leser, bescheidener Inkassator oder erfolgreicher Mitarbeiter des Dienstleistungsbetriebs, hatte sich niemals stark und dreist gefühlt. Jetzt plötzlich konnte er aus vollem Halse nach Abrechnung schreien – und mit wem? –, mit Kallistrat Syrzow. War das nicht ein Zeichen verwegenen Mutes? War das nicht ein Hervorbrechen unbewußter Kräfte? In Pjotr Petrowitsch zeigte sich etwas majestätisch Löwenhaftes, er war verwandelt.

Eine große Wirkung hatte der Name, der unter dem Artikel stand – Iwan Lepota! Die einen mochten den Poeten wegen seines demütigen Gerührtseins angesichts der Preiselbeerbüschchen und der Ebereschendolden rund um Kitesh. Andere mochten ihn, weil er mehr Prügel bezogen hatte als irgendwer sonst.

»Kaum ist was, geht's ihm an den Kragen, das Herz blutet einem.«

»Ein Geschlagener ist mehr wert als zwei Nichtgeschlagene.«

»Wenn sie ihn schlagen, heißt das, er steht für die Wahrheit, denn wer schlau ist und sich anpaßt, den streicheln sie zärtlich.«

»Von wem können wir Unterstützung erwarten, wenn nicht von ihm!«

»Na, Kallistrat Syrzow sitzt in der Tinte, der Brave!«

In der berauschten Stadt Kitesh schwoll von Stunde zu Stunde dumpfer Zorn auf Onkel Kallistrat, Iwan Lepota jedoch konnte sich sonnen in Dankbarkeit und Begeisterung. Kallistrat Syrzow war nachgerade ein Vergifter, Lepota dagegen der Retter. Goliath und David, heidnischer Götze und Aljoscha Popowitsch,* das Ungeheuer Tschelubej* und der Mönch Pereswet*!

Aber in der berauschten Stadt, die voll war von sich wandelnden majestätisch-löwenhaften Pjotr Petrowitschs, gab es auch weiterhin nüchterne Naturen, die der allgemeine Aufruhr unberührt ließ.

Einer davon war Adrian Jemeljanowitsch Kukuschew, Ehegespons von Polina Iwanowna, der treuen Mitarbeiterin Samson Popjonkins.

11

Kukuschew arbeitete bei der Kitesher Filiale der Gesellschaft »Wissen« und trug sozusagen zur Verbreitung des wissenschaftlichen Fortschritts bei. Dem Beispiel der unverzagten Philosophen früherer Jahrhunderte folgend, glaubte er heilig: Alles steht zum besten in dieser besten aller Welten. Und wenn in dieser »besten aller Welten« jemand, dem es nicht so genau drauf ankam, irgendwas Unangenehmes rauspolkte, geriet Kukuschew außer sich, nannte ihn schreiend Meckerer, Kleingläubiger und Nestbeschmutzer, der unsere Wirklichkeit verleumde.

Er hegte Ehrerbietung für Kallistrat Syrzow und sah in ihm eine Art Prometheus, der den Kiteshern das Feuer der Industrialisierung gebracht hatte. Und diesen Giganten wollte man an Händen und Füßen fesseln! Selbstverständlich wurde Iwan Lepota in Kukuschews Augen sogleich zu jenem blutgierigen Vogel aus der Legende, der dem heroischen Wohltäter der Stadt Kitesh an der Leber hackte.

* altrussische Legendengestalten – A. d. Ü.

Sogar Polina bekam von ihrem Mann Vorwürfe zu hören, weil sie in einer prinzipienlosen Zeitung arbeitete, die Kallistrat, den Prometheus, zu verleumden wagte. Polina nahm es demütig schweigend hin, aber der Sohn...

Schon in einem der ältesten ägyptischen Manuskripte soll es geheißen haben: »Heutzutage hören die Kinder nicht mehr auf ihre Eltern.« Und wenn die Kinder, traurig genug, schon vor ein paar Jahrtausenden, nachgerade schon in der Zeit der ersten Pharaonen nicht auf ihre Eltern hörten, dann kann man sich ausmalen, mit welchem Erfolg sie das in unseren Tagen tun, nach so langem Training.

Kukuschew junior war Kukuschew senior frappierend unähnlich. Der Vater jünglingshaft glattrasiert, der Sohn greisenhaft bärtig; der Vater im stutzerhaften gebügelten Anzug, der Sohn in ungebügelten, ungewaschenen Jeans mit sorgsam gepflegtem Zerschleißfransenschmuck; der Vater naiv begeistert, der Sohn von weiser Skepsis; der Vater voller Achtung vor Autoritäten, der Sohn nur vor sich selbst. Selbstverständlich war der Sohn nicht der Meinung, daß »alles zum besten bestellt« wäre, im Gegenteil, er neigte der Ansicht zu, daß die Welt in Bälde zur Hölle fahren müsse. Der Vater ward nicht müde, sich um den Sohn zu grämen, der Sohn ertrug den Vater ohne Gram – dieser als sein Vorfahr mußte ja rückständig sein.

Nach dem Zeitungsartikel war ein Zusammenstoß zwischen Vater und Sohn unausbleiblich. Er fand gegen Ende dieses Tages statt, als die kleine Familie am Abendbrottisch saß.

Der Vater gab sich unvorsichtigerweise Erinnerungen hin, was für ein Kaff die Stadt Kitesh gewesen sei, ehe das Kombinat gebaut wurde – keine Zentralheizung, kein Gas, kein Fernsehen, nicht mal ein gutes Dampfbad, jetzt dagegen gebe es sogar ein Schwimmbecken, und da komme so ein Verseschmierer daher und erfreche sich...

»Vater«, unterbrach ihn der Sohn unehrerbietig, »Iwan Lepota hat einen Gauner erwischt.«

»Waaas? Wer ist ein Gauner?«

»Ist es nicht Gaunerei, uns ein Schwimmbecken hinzuschmeißen und uns dafür den Fluß und den See wegzunehmen?«

»Hört doch auf, ihr kriegt euch gleich in die Wolle«, versuchte Polina zu dämpfen, doch ihre nüchternen Beschwichtigungsversuche hatten den Familienfrieden noch nie gerettet.

»Syrzow nennt er einen Gauner, und Lepota hebt er in den Himmel? Dein ehrlicher Lepota hat der Menschheit noch nicht mal eine einfache Mausefalle beschert!«

»Lepota ist das Gewissen von Kitesh!« verkündete der Sohn nicht ohne Pathos.

»Was, wessen Gewissen? Das Gewissen solcher wie du! Du bist bald einundzwanzig, und als ich in deinem Alter war ...«

»Entschuldige, aber das kann ich schon singen: Als du in meinem Alter warst, hast du heldenhaft mit deiner Brust das Land geschützt. Wiederhole dich bitte nicht.«

»Jawohl! Als ich in deinem Alter war, hatte ich schon mehr als genug Frontsuppe gelöffelt. Auf dem Bauch bin ich durch ganz Europa gekrochen! Dem Tod habe ich ins Auge gesehen! Dich aber haben sie gleich nach der Schule ins Institut gesteckt – lerne, Jungchen, setz dich ins gemachte Nest. Und, lernst du? Nein, du faulenzt! Du führst ein liederliches Leben! Sieh dich doch mal an, was bist du denn? Ein Schmarotzer, ein unnützer Brotesser! Und solchen wie dir rührt Lepota das Gewissen auf. Der ist doch selber ein Parasit! Eine Hand wäscht die andere ...«

»Adrian! Um Gottes willen!« rief Polina, aber es war schon zu spät.

Der Sohn sprang auf.

»Großartig! Wunderbar! Ich ein Schmarotzer! Ich esse fremde Kost, und im Institut wetze ich die Hosen durch, die von dem Geld meiner lieben Eltern gekauft wurden! Und dann wage ich auch noch, eine eigene Meinung zu haben. Das mache ich nicht mehr mit! Der arbeitsscheue Nichtstuer bittet um Entschuldigung und möchte sich bessern. Au revoir und thank you! Ich verlasse das Haus, um die heilige Losung zu verwirklichen: Wer nicht arbeitet, der soll auch nicht essen!«

»Wladik! Um Gottes willen!«

»Mach dir keine Sorgen, Mutter. Der ist an Brot gewöhnt. Hunger ist keine liebe Tante, der hat schon ganz andere Böcke zahm gemacht.«

»Eben, in diesem Hause werden nur zahme Tiere geachtet. Ich ziehe es vor, in Freiheit zu weiden.«

Der Sohn ging und knallte die Tür zu.

Eigentlich war gar nichts Unnatürliches passiert, eine ganz gewöhnliche Szene, gegen die keine Familie gefeit ist. »Heutzutage hören die Kinder nicht mehr auf ihre Eltern ...« – das gilt für alle Länder seit den ältesten Zeiten bis in unsere Tage. Wesentlich ist nur, zu vermerken, wie tief der Alarmartikel die Stadt Kitesh spaltete – bis hinein in die Familien.

Der Sohn knallte die Tür zu, Vater Kukuschew aber begab sich eine Treppe tiefer zu seinem alten Bekannten, dem Empfänger einer personengebundenen Rente Pankrat Pankratowitsch Schischkin, den alle Welt hinterrücks Pepescha nannte, eine Anspielung auf die gleichnamige Maschinenpistole, und das meinte nicht nur die günstige Verbindung der Anfangsbuchstaben, sondern auch ein paar Charaktereigenschaften.

Nein, Pepescha war kein Gleichgesinnter von Adrian Kukuschew, er wähnte keineswegs, in der besten aller Welten zu leben. Ja, damals, als er noch munter, tätig und einflußreich war, da war die Welt tatsächlich ohne Dummköpfe und in allerbestem Zustand gewesen. Damals hatte er einen eisernen Herrn und eine eiserne Disziplin gehabt, damals stand Kraft in hohem Ansehen, während jedwede Schwäche verachtet wurde: Meckerer hielten den Mund, Lobhudler hatten das Sagen.

Natürlich war Pepescha unzufrieden mit dem Durcheinander in der Stadt, unzufrieden mit der unbotmäßigen Presse, unzufrieden mit den entfesselten Schwätzern, die das böswillige Artikelchen durchhechelten, unzufrieden mit Kallistrat Syrzow, dem nicht beizukommen war, und unzufrieden mit Iwan Lepota – Schuster, bleib bei deinem Leisten! Wie immer mit allem und jedem unzufrieden, stieß Pepescha wie immer ärgerlich hervor:

»Erschossen gehören die! Erschossen! Ohne langes Fackeln!«

Früher war das so drohend bei ihm herausgekommen, daß es einen kalt überlief, doch jetzt klang es zänkisch und nicht sehr eindrucksvoll.

Und seltsam, obwohl Kukuschew mit den Ansichten seines Freundes gar nicht übereinstimmte, hörte er ihm zu und gewann bei dessen Unmutsäußerungen sein seelisches Gleichgewicht zurück – allen ging es schlecht, nicht bloß ihm.

12

Chefredakteur Kryschew widmete sich verstärkt den Außenbeziehungen, verschwand aus der Redaktion und kehrte zurück, verschwand wieder und kehrte wieder zurück. Sein seitlichscheuer Trippelgang mit den kleinen Hüpfern wies aus, daß er nicht ganz bei sich war, daß er am liebsten irgendwohin geflüchtet wäre und sich verkrochen hätte, was ihm seine Dienststellung freilich nicht erlaubte.

Samson Popjonkin besuchte ihn nach jeder Rückkehr. Im Arbeitszimmer des Chefs stand schweigend der Fernseher, und der Eigner des Zimmers war nur unwesentlich gesprächiger, er saß verzagt über das grüne Gefilde seines Schreibtischs gebeugt, breitete die Arme aus und warf seufzend hin:

»Nichts.«

Nach der dritten Rückkehr konnte Samson Popjonkin eine Information aus ihm herausquetschen.

»Kallistrat Syrzow war da; eine Stunde haben sie gesessen.«

»Und?«

»Nichts. Alles hinter verschlossener Tür.«

»Nichts« – das war ein kümmerliches Ergebnis. War der Alarm einmal bestellt worden, und er war ja auch prächtig geraten, so hätte man ihn eilig ausnutzen sollen, um Onkel Kallistrat zu schnappen, auf der heißen Spur zu entlarven. Aber nein, nichts...

Zu Samson Popjonkin drangen Nachrichten über Ereignisse in der Stadt, die von dem Alarmartikel ausgelöst worden waren.

Eine Gesellschaft für Naturschutz, die unbemerkt in Kitesh existierte (so unbemerkt, daß selbst der allwissende Samson Popjonkin noch nie von ihr gehört hatte), traf sich zu einer außerordentlichen Tagung, wie immer in einem Kellerraum des Gebäudes des Jägerverbandes. Die überaus stille Naturschutzgesellschaft hielt ihre Tagungen seit vielen Jahren dort ab, und niemand schenkte ihr auch nur die geringste Beachtung. Jetzt auf einmal verbreitete sich das Gerücht: Die Gesellschaft tage nur zu dem einen Zweck, ein Gerichtsverfahren gegen Kallistrat Syrzow anzustrengen. Und schon strömte vor dem Jägerverband neugieriges Volk zusammen. Der beunruhigte Abschnittsbevollmächtigte Trischkin – wenn es da man nichts gab! – forderte eilig eine Streife an in Gestalt des Verkehrspostens Leljuschko, den er von der nächsten Kreuzung abzog.

Die Studenten der biologischen Fakultät am Pädagogischen Institut zu Kitesh verfaßten eine entrüstete Petition zum Schutz der Biosphäre mit weitschweifiger wissenschaftlicher Argumentation und nicht minder weitschweifigen gelehrten Zitaten. Die Petition wanderte von Hand zu Hand, Unterschriften wurden gesammelt. Es unterschrieben auch solche, die noch nie von der Biosphäre gehört hatten und sich darunter gar nichts vorstellen konnten.

Der Kandidat der medizinischen Wissenschaften Malyschew, ins örtliche Fernsehstudio gebeten, um wieder mal eine Lektion über die Gesundheit zu halten, teilte den vielen Tausenden von Fernsehzuschauern den brandneuen Gedanken mit, daß die Gesundheit jedes einzelnen von sauberer Luft und sauberem Wasser abhänge. Er zeigte Fotos von chemisch vergifteten Wäldern und total verdreckten Wasserreservoiren ... in Amerika. Die Stadt Kitesh hatte nie auch nur die geringste Ähnlichkeit mit Amerika gehabt, doch jetzt liefen im Fernsehstudio die Telefone heiß, da viele Zuschauer mit anklagender Stimme auf die direkte Ähnlichkeit hinwiesen.

Von Stunde zu Stunde wuchs der Ruhm Iwan Lepotas. Als der Stadt Kitesh ein eigener Kusma Minin* fehlte, war er erstanden in Iwan Lepota, der die Landwehr zum Schutz der reinen Wasser auf die Beine brachte.

Mit Kallistrat Syrzow geschah rein gar nichts. Er leitete das Kombinat, verhandelte hinter verschlossener Tür.

Bestand denn überhaupt die Absicht, diesen Recken der Kitesher Industrie zu Fall zu bringen?

War ihm mit der Filtrierung überhaupt beizukommen?

Vielleicht war die gar nicht seine Achillesferse?

Dann mußte man warten, denn Direktor Syrzow würde mit all seiner ausholenden Reckenkraft den Gegenschlag führen.

Ilja Kryschew hatte seinen Namen auf den »Köter« des Alarmartikels gesetzt, sein Name stand auch im Impressum, somit war er doppelt schuldig vor Kallistrat Syrzow.

Der Chefredakteur fiel vom Fleische, wurde blaß, seine Augen huschten gehetzt, und seine Stimme zitterte hörbar:

»Nichts ...«

Samson Popjonkin war auch beunruhigt, aber nicht allzusehr. Er hatte gewußt, daß sich nach dem Alarmartikel Macht gegen Macht behaupten würde, aber er war keineswegs sicher gewesen, wer die Oberhand behielt, darum benahm er sich umsichtig und drängte sich nicht vor.

Ilja Kryschew argwöhnte das, er krümmte sich fröstelnd und sah seinen verantwortlichen Sekretär offen feindselig an.

»Du hast mir eine schöne Suppe eingebrockt, mein Lieber.«

»Ich Ihnen?« wunderte sich Samson Popjonkin.

»Wer sonst?«

»Haben Sie von mir den Hinweis auf den notwendigen Alarmartikel bekommen oder ich von Ihnen?«

»Na gut, na gut, und doch würde ich an deiner Stelle nicht darauf hoffen, dich hinter mir zu verstecken; den Artikel hast

* Kusma Minin (gest. 1616) organisierte 1611–1612 die Landwehr, die Moskau von den polnischen Interventen befreite – A. d. Ü.

du in Druck gegeben, ich habe dich lediglich bevollmächtigt und unterschrieben.«

Zum Schimpfen war es noch zu früh, das hätte keinen Sinn gehabt, deshalb sagte Samson Popjonkin versöhnlich:

»Es ist zu früh für Panik, Ilja Makarowitsch. Kommt Zeit, kommt Rat.«

»Genau das will ich, mein Lieber, daß du auch die Augen offenhältst und dich nicht der Seelenruhe ergibst. Wir hängen an einer Leine, merk dir das, und versuch nicht, sie zu kappen.«

Das war schon fast eine Drohung – allein geh ich nicht unter, ich nehm dich mit! Aber was konnte der Teufel nicht alles anrichten, wenn Gott schlief.

13

Wenn dir einer droht: »Versuch nicht, die Leine zu kappen!« dann mußt du sie schleunigst kappen und das nicht auf die lange Bank schieben.

Aber Samson Popjonkin war keiner von denen, die blindlings drauflosschnippeln. Nein, erst mal Umschau halten, vielleicht war's noch zu früh, die Leine zu kappen. Er mußte herausfinden, wie sich Kallistrat jetzt fühlte. Womöglich war der von Panik erfaßt?

Samson Popjonkin mußte ins gegnerische Lager eindringen.

Nein, dazu brauchte er nicht eine dunkle Nacht abzuwarten, einen Dietrich einzustecken und sich in einen Aufklärer vom Typ des ungreifbaren Issajew-Stirlitz* zu verwandeln, der mit seiner Geschicklichkeit die Kitesher Fernsehzuschauer bezaubert hatte. Überhaupt bestand keinerlei Notwendigkeit, das eingesessene schmale Arbeitszimmerchen zu verlassen, er brauchte lediglich den Hörer abzunehmen und die entsprechende Nummer zu wählen.

Wie jeder Leiter, der auf sich hält, hatte Kallistrat Syrzow eine Abschirmung in Gestalt einer Sekretärin.

* Gestalt aus einer sowjetischen Fernsehserie von Julian Semjonow – A. d. Ü.

»Wer spricht?« fragte eine Frauenstimme kühl.

War es Voltaire oder Bismarck, der uns lehrt: »Wenn du nicht weißt, was du sagen sollst, dann sag die Wahrheit«? An diesen Rat hielt sich Samson Popjonkin.

»Die Redaktion der ›Morgenröte von Kitesh‹.«

Kurzes mißbilligendes Schweigen.

»Einen Augenblick.«

Es war noch keine Minute vergangen, da tönte im Hörer der tiefe Bariton von Onkel Kallistrat: »Was verschafft mir die Ehre?«

»Hier der verantwortliche Sekretär Popjonkin.«

»Sie haben Anweisung, sich reumütig zu entschuldigen?«

»Nein, Kallistrat Polikarpowitsch, einstweilen hat die Zeitung nicht vor, zu bereuen.«

»Also warum, zum Teufel, belästigen Sie mich?«

»Sie denken wohl, bei der Zeitung sitzen nur Feinde von Ihnen, Kallistrat Polikarpowitsch?«

»Nun, Freunde werden es nicht gewesen sein, die mir dieses verwegene Artikelchen angehängt haben.«

»Nein, das nicht. Ihre Freunde waren gegen die Veröffentlichung. Und Sie können mir glauben, ich gehöre dazu.«

»Nehmen wir's mal an. Also was wollen Sie von mir, mein treuer Freund?«

»Zuverlässige Angaben.«

»Was für Angaben?«

»Angaben, die das Kombinat als Ganzes und Sie persönlich rechtfertigen.«

»Rechtfertigen? Mein liebenswürdiger Freund, ich habe nicht vor, mich zu rechtfertigen. Sie beschuldigen mich, daß ich Ihr verstänkertes Flüßchen verschmutze. Ja, ich verschmutze es! Sie fragen mich, ob ich es weiter verschmutzen werde? Ich antworte: Ja, ich werde! Ich wäre froh, diese Sünde nicht begehen zu müssen, aber die Not zwingt mich dazu.«

»Diese Not könnten Sie mir doch ein bißchen... ausführlicher darstellen.«

»Was meinen Sie, mein ferner Freund, wieviel runde Milliönchen unser Kombinat den Staat gekostet hat?«

»Ich weiß es nicht, aber ich nehme an, sehr viele.«

»Sehr richtig! Und die Filtrieranlagen, die Ihrem jämmerlichen Flüßchen die Quellreinheit wiedergeben würden, kämen beinahe noch einmal so teuer. Ja, sie kosten fast soviel wie das ganze Kombinat. Und selbst dann könnte nur eine Wahrsagerin prophezeien, ob sich die frühere Reinheit wieder einstellt oder nicht. Die Filtrierung der Industrieabfälle, das müßtet ihr auch ohne mich wissen, meine Lieben, ist die Schwachstelle der ganzen modernen Technik. Sämtliche Industrieländer ächzen unter dieser Schwäche, stellen Sie sich das vor, nicht bloß Kitesh.«

»Nun, wenn Sie schon nicht die ideale Filtrierung vornehmen können, Kallistrat Polikarpowitsch, dann wenigstens eine gewisse.«

»Eine gewisse haben wir, und mehr als das – unsere Kläranlagen umfassen gut zwei Dutzend Hektar. Sie sehen, das hilft nicht allzu wirksam.«

»Und sonst kann man nichts tun, Kallistrat Polikarpowitsch?«

»Warum nicht, man kann – das Kombinat zumachen.«

»Alles klar. Ich danke Ihnen, Kallistrat Polikarpowitsch.«

»Keine Ursache. Bringen Sie das auch meinen anderen Freunden bei.«

Samson Popjonkin legte behutsam auf.

14

Chefredakteur Kryschew hatte im selben Moment aus Verzweiflung ebenfalls beschlossen zu handeln. Er mußte sich rüsten für den Fall, daß man ihn kommen ließ und fragte: »Was hat Sie, teurer Genosse, dazu bewogen, was hatten Sie für Motive?« Dann konnte er schließlich nicht mit Unschuldsmiene antworten: »Sie haben mich doch gezwungen, von Ihnen kam das – druck einen Artikel, und ein Alarmartikel muß es sein!« Nein, darauf würde man ihn sofort ernüchtern:

»Hatten wir das etwa so gemeint? Daß Sie es so verstanden haben, ist Ihre Sache. Jetzt wollen Sie die Schuld von sich abwälzen! Daraus wird nichts, Genosse Kryschew!« Er mußte wenigstens irgendwelche Dokumente zu seiner Rechtfertigung parat haben, wenn sie ihn fragten: »Was haben Sie?«, damit er den Aktendeckel aufklappen und auspacken konnte: »Das hier.« Fakten, Informationen, anschauliche Beweisstücke, da versuche einer nur, die Augen zu verschließen. Je anschaulicher, desto besser.

Ilja Kryschew drückte auf den Knopf.

»Tugobrylew zu mir!«

Tugobrylew, der älteste Meister der Kitesher Bildreportage, besaß die Fähigkeit, einen ehrwürdigen Greis als stürmischen Jüngling aufs Fotopapier zu bannen und die Versammlung einer Produktionsbrigade als heroische Szene à la Davids »Schwur der Horatier« erscheinen zu lassen.

Er kam herein, dick, rotgesichtig, mit röchelndem Atem, bewaffnet mit einer kurzläufigen Fotokanone, bereit, auf Befehl blitzschnell loszustürmen.

»Haben Sie in Ihren Vorräten Aufnahmen, die anschaulich unsere sterbende Natur zeigen?« fragte Kryschew ohne Umschweife.

Tugobrylew war beleidigt.

»Sterbende Natur, Ilja Makarowitsch? Bin ich ein Pfuscher? Oder habe ich kein Gespür? Wenn ich, sagen wir mal, einen Wald aufnehme, dann sieht er bei mir üppig grün aus, der reinste Zucker, und knipse ich einen See, dann frohlockt das Herz. Sterbendes, Ilja Makarowitsch, ist nicht mein Metier, nur Blühendes!«

»Ich brauche aber Sterbendes.«

»Sterbendes?«

»Ja. Und mit mörderischer Deutlichkeit!«

Tugobrylew kratzte sich sorgenvoll die Platte.

»Was denn speziell?«

»Nun, sterbende Wälder, ohne Laub. Nun, dreckiges Wasser im Fluß. Ströme von Industrieabwässern... Suchen Sie, suchen Sie! Soll ich für Sie mit dem Finger darauf zeigen? Sie sind der Meister, nicht ich.«

»Wälder ohne Laub ... Hm! Die sind jetzt alle ohne Laub, wir haben Herbst.«

»Lassen Sie sich was einfallen.«

»Aber dreckiges Wasser, ich bitte Sie! Ich kann im Wasser einen krepierten Köter fotografieren oder ein altes Faß, aber Dreck.«

»Jawohl, Dreck! Jawohl, Industriedreck! Keine krepierten Köter!«

»Absolut nicht fotogen.«

»Sie werden's schon schaffen!«

»Ich kann nicht, Ilja Makarowitsch.«

»Und nicht bloß ein Foto, nein, viele, viele! Daß sich dem Betrachter die Haare sträuben, daß er sich an den Kopf faßt!«

»Ilja Makarowitsch, ich habe mein Leben lang nach dem Idealen gestrebt, nach dem Schönen, und nun auf einmal Dreck... Zwingen Sie mich nicht!«

»Es muß sein, Tugobrylew! Es muß sein!«

»Und noch dazu haarsträubend! Ich bitte Sie!«

»Es muß sein, Tugobrylew! Es muß sein!«

»Mein Leben lang habe ich mich bemüht, zu besingen.«

»Sie müssen Ihrem eigenen Lied auf die Kehle treten, Tugobrylew, Sie müssen. Ich will keine Ausrede hören. Sie als ältester, erfahrenster Meister wollen passen, vor Schwierigkeiten kapitulieren? Schämen Sie sich!«

Ein großer Chefrüffel begann. Tugobrylew senkte die umfangreiche Glatze und lauschte.

Ohne das übliche Tempo – ein Fuß noch hier, der andere schon dort – sprang er aus dem Arbeitszimmer des Chefredakteurs und stieß auf den sorgenvollen Samson Popjonkin. Er mußte sich beherrschen, um nicht in Tränen auszubrechen.

»Samson, du kennst mich doch, ich habe mein ganzes Leben dem Schönen geweiht. Und jetzt... Ich, Tugobrylew, soll auf den Dreck losgehen!«

Samson Popjonkin hörte sich das an und sagte mitfühlend:

»Ich kann dir nicht helfen, Kanonier. Aber vergiß bloß nicht, für alle Fälle auch das Kombinat zu fotografieren, in all seiner Schönheit und Größe. Es wird zustatten kommen.«

»Das mach ich mit Pauken und Trompeten! Das bring ich toll heraus – kein Kombinat, die reinste Sonate! Daß dir der Atem stockt!«

»Die haben dort Kläranlagen, viele Hektar groß. Die hat noch keiner geknipst. Nimm sie aufs Korn, Kanonier.«

»Ohne Dreck?«

»Sieh zu, daß sie blitzsauber aussehen. Wer sieht sich schon gerne Dreck an.«

»Das bitte sehr! Das von Herzen gern. Kläranlagen! Die sollen glänzen wie frisch gewienert!«

Samson Popjonkin dachte mit unwillkürlichem Mitleid an Kryschew, der über das grüne Gefilde seines Schreibtischs gebeugt saß. Sieh einer an, mit Bilderchen will er sich retten. Soweit ist er schon! Samson Popjonkin mußte das Ruder in die eigenen Hände nehmen und das Redaktionsschiff jäh wenden – das Heck gegen die vom Alarm aufgewühlte Stadt, den Bug zu Kallistrat.

15

Gewöhnlich besuchte Polina Iwanowna den verantwortlichen Sekretär Samson Popjonkin, doch heute kam er von selbst zu ihr.

Am Ende des langen Redaktionskorridors lag ein mit Schränken vollgestopftes Zimmer. Das war die Schatzkammer. Hier strömten aus allen Ecken und Enden des Kitesher Landes Nachrichten in gestempelten Kuverts zusammen. Hier konnte man die Höhenflüge einer poetischen Seele aus der tiefsten Provinz kennenlernen, aber auch heiße Klagen über örtliche Mißstände wie auch so mancherlei Vorschläge – sachlichen, sittlich belehrenden, meckernden oder einfach unverständlichen Charakters. Die Nachrichten gingen ein, wurden sortiert, numeriert, schließlich in den monumentalen Schränken beigesetzt und für Jahrhunderte verschlossen. Dazu war dies ja die Schatzkammer, um alles eifersüchtig zu behüten und nicht hinauszulassen an die frische Luft.

Die meisten Briefe waren an den Chefredakteur Kryschew adressiert, doch es las sie ausschließlich Polina Iwanowna. Wahrscheinlich gibt es keinen langweiligeren Beruf auf der Welt, als aus Dienstpflicht fremde Briefe zu lesen, darum war Polinas Antlitz von demütiger, unvergänglicher Schwermut gezeichnet. Die halbblinde Brille im Drahtgestell, die spärlichen Haare, die jemand in hastiger Nachlässigkeit an ihrem Hinterkopf zu einem Knoten geknüpft zu haben schien, um sich irgendwas zu merken, und der Gesamteindruck machten, daß Polina Iwanowna ganz und gar verstaubt und ungelüftet wirkte.

Überdies hatte Polina, was Samson Popjonkin nicht wissen konnte, wieder mal Zwist in der Familie. Der Vater schmähte den Sohn, der Sohn nächtigte außer Haus, und eine Treppe tiefer wütete der Rentner Pepescha: »Erschießen! Erschießen!« Auch das verfehlte seine Wirkung auf die Nerven nicht und verstärkte Polinas verzagtes Aussehen.

»Polina Iwanowna, zeigen Sie mir sämtliche Leserbriefe zu dem Artikel von Iwan Lepota«, heischte Samson Popjonkin.

»Die hab ich Ihnen schon gezeigt.«

»Wann?«

»Gestern und heute. Jeden Morgen bring ich Ihnen die Leserpost. Hier sind noch zwei Briefe, eben erst eingetroffen.«

»Hm ...« Samson Popjonkin hatte in seiner langjährigen Praxis nicht die Gewohnheit angenommen, dem, was Polina ihm brachte, Beachtung zu schenken. »Wissen Sie noch, ob was Interessantes dabei war? Irgendwas Kämpferisches gegen Lepota?«

»War nicht«, entgegnete Polina gleichgültig. »Kann auch gar nicht, finde ich.«

»Warum nicht?«

»Darum, weil ich Ihnen schon seit fünfzehn Jahren die Briefe bringe und Sie noch nie einen abgedruckt haben. Keinen einzigen.«

»Trotzdem, geben Sie mir jetzt gleich alles, was Lepota betrifft. Ich will es noch mal gründlich durchsehen. Unser Leser, das ist das Volk, meine liebe Polina Iwanowna. Das Volk! Von wo sollen wir das Wesen der Dinge schöpfen, wenn nicht aus der Tiefe des Volkes?«

Eine Viertelstunde später strebte Samson Popjonkin seinem Zimmer zu, einen Aktendeckel unterm Arm.

Vor ihm stand die Aufgabe, das fahrende Schiff zu wenden. Der Alarmartikel hatte auf Onkel Kallistrat gezielt. Also drukken wir einen anderen Artikel, unterschrieben von einem anderen Autor, der in eine andere Richtung zielt – nicht gegen, sondern für Onkel Kallistrat. Aber dann würde man sehr schnell bemerken: Gestern habt ihr so, heute habt ihr so, gestern ruhe sanft, heute zum Wohle, für eine Kopeke tanzt ihr für die einen und für die andern – eindeutige Prinzipienlosigkeit! Also kam ein neuer Artikel nicht in Betracht, den bisherigen Kurs weiterzufahren war jedoch gefährlich. Der Ausweg? Ganz einfach, oft erprobt – ein Leserbrief! Der Leser darf denken, wie er will – dafür, dagegen, der Redaktion beipflichten, ihr widersprechen. Warum sollte nicht ein Brief eintreffen, der Iwan Lepota entschlossen widersprach und für Kallistrat war, nicht gegen ihn? Und warum sollte man den nicht veröffentlichen? Die Zeitung zerschlägt mit einer Leserstimme das, was sie zuvor in einem Artikel behauptet hat – Kurs geändert, Schiff gewendet! Gestern so, heute so – prinzipienlos? Aber nein, im Gegenteil, wir halten doch dem Leser nicht den Mund zu, wir öffnen unsere Türen weit für jede ehrliche Meinung – wir sind zutiefst prinzipienfest, superobjektiv. Wer wagt es, anders zu denken?

Samson Popjonkin trug den Aktendeckel mit den Leserbriefen in sein Zimmer.

Er setzte sich an den Schreibtisch, klappte mit mustergültigem Eifer den Ordner auf und nahm den ersten Brief zur Hand. Darin gestand eine gewisse Katja Kolbassina, Schülerin der

Klasse 8 a, mit großer Schrift ihre Liebe zu den Gedichten des Iwan Lepota: »Lepota ist unser Jessenin von Kitesh.« Samson Popjonkin saß verträumt über dem Brief und schob seufzend den Aktendeckel von sich weg. Alle diese Papiere durchzublättern war eine Hundearbeit. Es war Samson Popjonkin in seiner Zeitungspraxis noch nie gelungen, aus dem Poststrom ein goldenes Fischchen herauszuangeln. Vor ihm stand die Aufgabe, den Alarmartikel zu zerschlagen, und der war in seiner Art unstrittig ein Meisterwerk. Auf einen groben Klotz gehört ein grober Keil, ein Meisterwerk ist nur mit einem Meisterwerk zu zerschlagen! Die Erwartung, in diesem Aktendeckel könnte das benötigte Meisterwerk fix und fertig bereitliegen, war illusorisch. Verschwende nicht deine Zeit. Überleg dir, wie du solch ein Meisterwerk zustande bringst.

Es gibt einen alten, einfachen Weg, den die Zeitungsleute ausgetreten haben – einen benötigten Leserbrief zu organisieren. Zunächst wird ein geeigneter Mann ausgewählt, kein Schriftsteller, kein festangestellter Zeitungsmann, sondern einer aus der breiten Lesermasse. Dann wird ihm eingetrichtert, was er zu schreiben habe. Dann wird sein Geschreibsel »in Form gebracht«. Das ist mühsam, arbeitsaufwendig und unzuverlässig – man kann auf die Schnauze fliegen. Wer garantiert denn, daß der Autor nicht mit Vorwürfen überhäuft wird, nicht dem Druck nachgibt, nicht sich zu rechtfertigen sucht: Was hab ich damit zu tun – sie haben mich unter Druck gesetzt, mich gezwungen. »Wer hat dich gezwungen?« – »Na, der da!« Zeigefinger auf den Schuldigen, die Konfusion ist komplett.

Samson Popjonkin hatte nichts übrig für ausgetretene Wege, insonderheit wenn sie so schlüpfrig waren. Was war einfacher, als selbst... Ja, ja, unter irgendeinem Namen, alles, wie es gebraucht wird, mit dem nötigen Nachdruck. Grober Keil auf groben Klotz, Meisterwerk gegen Meisterwerk.

Aber selber fabrizieren? Eine Fälschung?

Nein, höchstes Schaffen!

Wer kommt daher und erkühnt sich, den großen Schriftstellern vorzuwerfen, daß sie der Welt nichtexistente Tschitschikows, Raskolnikows, Leinwandmesser, Kaschtankas untergejubelt haben? Kann man mithin Samson Popjonkin einen Vorwurf daraus machen, daß er der Stadt Kitesh einen erfundenen tief denkenden Leser mit ungemein realen Ansichten und Erwartungen beschert?

Einen fertigen Brief gab es nicht, Samson Popjonkin zog sich ein frisches Blatt Papier heran und vertiefte sich in den literarischen Schaffensprozeß.

»Liebe Redaktion! Sind Sie nicht verwundert über den Taumel, welcher, den Seiten Ihrer Zeitung entstiegen, zur Zeit die übermäßig erhitzten Köpfe um und um wirbelt?« Die Feder raste übers Papier.

Die Redaktion lebte ihr gewohntes Leben: Irgendwo klingelten Telefone, man stritt um Zeilen, die nicht in die Kolumne hineinwollten, Schreibmaschinen klapperten, Boten liefen in schlankem Trab durch den Korridor, aber hier, in dem engen, schmalen Arbeitszimmer, vollzog sich das große Mysterium der Verwandlung – der verantwortliche Sekretär Popjonkin verschwand zeitweilig, und statt seiner saß am Schreibtisch ein wohlanständiger Bürger, ein bescheidener Werktätiger, ein aktiver Abonnent der Zeitung, der sich um die Planerfüllung sorgte, die israelische Aggression verurteilte und seiner Vaterstadt aus heißem Herzen Frieden und Wohlergehen wünschte.

Die Feder flitzte übers Papier:

»Ein Taumel hat unsere Stadt erfaßt! Der Mann, der den majestätischen Industriekomplex aus der Asche stampfte wie den Vogel Phönix, soll auf einmal ein Übeltäter sein. Der Taumel ist so groß, daß jeden Moment der gellende Schrei ›Kreuziget ihn!‹ erschallen kann. Aber wofür? Das ist die Frage. Für den Rauch von Lagerfeuern, den Duft von Fischsuppe, die der Lyriker Lepota so rührend beweint, ein Mann, der in Kitesh zu einer seltsamen, durch nichts gerechtfertigten Bekanntheit gelangen konnte...«

Diese Zeilen waren außerordentlich ungeeignet, der jungen Zeitungsleserin Katja Kolbassina aus der Klasse 8 a Freude zu bereiten. Und nicht nur Katja – vielen, oh, vielen!

Aber die Feder sauste übers Papier und stach auf Iwan Lepota ein:

»Besinnen wir uns! Halten wir Umschau! Staunen wir über uns selbst! Was wollen wir vertauschen und gegen was? Das majestätische Kombinat gegen den Duft von Fischsuppe! Den industriellen Fortschritt gegen die tränenseligen Emotionen eines verdächtigen Poeten! Zurück zu den urtümlichen Lagerfeuern! Ansinnen eines Pithekanthropus!«

Die Feder malte ganz von selbst das vernichtende Wort Pithek-an-thro-pus! Darüber würden viele aufheulen – sämtliche Verehrer von Iwan Lepota, sämtliche Gegner von Onkel Kallistrat.

Am Ende seines Schreibens wollte der tief denkende Leser den Poeten Lepota mit dessen ureigenster Waffe angreifen. In Verteidigung Kallistrat Syrzows schuf er den folgenden beseelten Vierzeiler:

Wir lieben Sie, wir schätzen Sie,
wir brauchen Sie, das Bau-Genie!
So wie der Mann, wenn er verbraucht,
das Schwitzen in der Sauna braucht!

Samson Popjonkin legte die Feder weg: Früher waren auch wir scharfe Traber! Ein Jammer, daß weder Iwan Lepota noch die vielen Kitesher, die wahre Poesie selbstlos liebten, je erfahren würden, wer der wirkliche Autor dieser gehobenen Zeilen war! Aber Honig, heimlich genascht, wird davon nicht minder süß.

Dem Brief fehlte nur eines – die Unterschrift des Autors. Was für einen Namen sollte Samson Popjonkin wählen? Ein weitverbreiteter, ein Massenname mußte es sein – Iwanow, Petrow, Sidorow? Ja, das war's – ein gewisser Iwan Petrowitsch Sidorow würde vor die Welt treten.

Samson Popjonkin nahm denn auch die weggelegte Feder wieder zur Hand und schrieb unten hin: »I. Sidorow«. Wieder einmal schien im Durcheinander des Tages das Rad der Kitesher Geschichte zu knarren.

Wie scharfsichtig Samson Popjonkin auch war, mitunter bis

zur Hellsicht, er glaubte naiv, nicht mehr und nicht weniger als einen ehrlichen Leserbrief geboren oder sozusagen ein neues Scheit ins Feuer geworfen zu haben. In Wirklichkeit war in diesen Minuten – nein, keine neue historische Persönlichkeit, sondern etwas Größeres geboren worden – ein Geist, ausgestattet mit geheimnisvoller Kraft.

16

Polina Iwanowna nahm das plötzliche Interesse des verantwortlichen Sekretärs für die Leserpost völlig unaufmerksam hin, zumal sie den Aktendeckel mit den Briefen bald zurückerhielt. Samson Popjonkin warf flüchtig hin: »Alles in Butter. Hab mir was rausgefischt.«

Hatte er, schön und gut. Polina barg die Briefe im Schrank – aufbewahren für alle Zeiten. Im allgemeinen widmete sie sich ihren Pflichten mit selbstvergessener Redlichkeit. In den vielen Jahren ihrer Berufstätigkeit hatte sie noch nicht einen einzigen Leserbrief verbummelt. Nicht ein einziges Mal hatte sie sich erlaubt, fünf Minuten zu spät zur Arbeit zu kommen oder fünf Minuten zu früh nach Hause zu gehen, und sie konnte in der Dienstzeit an nichts anderes denken als an die Klassifizierung und die Aufbewahrung der Briefe. In den letzten Tagen jedoch waren ihre Gedanken von den häuslichen Mißlichkeiten in Anspruch genommen – der Vater vertrug sich noch immer nicht mit dem Sohn. Kurz und gut, Polina ließ es an Wachsamkeit fehlen.

An diesem Abend setzte ihr ein Vorgefühl zu, und sie konnte es kaum erwarten, daß Feierabend wurde und sie nach Hause eilte.

Das Vorgefühl hatte sie nicht getrogen: Der häusliche Herd hatte Ähnlichkeit mit einem feuerspeienden Vulkan, denn der verlorene Sohn war aufgekreuzt und wollte die Beziehungen zu seinem Vater durchdiskutieren.

> Wasser und Stein, sie trafen zusammen,
> Lyrik und Prosa, Eis und Flammen...

Der Vater war in Hauslatschen und seinem abgeschabten Samtjäckchen, seine gepflegte Glatze schimmerte vor väterlichem Zorn in zartem Rosa. Der Sohn, zerknittert und zerrauft, trug einen fremden Pullover mit durchgewetzten Ellbogen.

»Wann? Wann habe ich dich betrogen?« fiel der Vater wie ein tenorkräftiger Kampfhahn über den Sohn her.

»Du hast mir das ganze Leben lang die beste aller Welten versprochen«, krächzte der Sohn erkältet.

»Hab ich das? Ich hab sie dir ja auch beschafft! Erobert! Mit dem eigenen Buckel erkämpft!«

»Danke. Bloß was hab ich davon?«

»Du bist satt, hast Kleider und Schuhe, lebst im Warmen, schläfst auf sauberen Laken. Was fehlt dir noch, zum Teufel?«

»Ich will keine sauberen Laken. Und keine Sattheit... Freiheit will ich!«

»Wie soll ich das verstehen?«

»Ganz einfach. Hier kannst du nicht mal über die Straße laufen, wo du willst, schon pfeift ein Milizer. Du bist von Verboten umstellt. Schön sieht sie aus, deine Welt!«

»Aha, das willst du also – die Straße an verbotener Stelle überqueren. Hast Lust auf Verbotenes, bist nicht zu halten.«

»Wage nicht, mich zu halten – achte gefälligst meine Persönlichkeit! Ich verlange es!«

»Hähä! Wie soll ich dich achten? Wenn man dir den kleinen Finger gibt, beißt du die ganze Hand ab. Du würdest ja jeden Respekt vor mir verlieren. Nein, mein Lieber, dir kann man nicht trauen, dich muß man am Kragen packen, damit du nicht über die Stränge schlägst.«

»Lieber den Tod als Stränge!«

»Eben, eben! Ohne Stränge, ohne Gesetze schnappt dich der Tod. Wenn du an verbotener Stelle über die Straße läufst, erwischt dich das nächste Auto – zack! Ohne Stränge, ohne Gesetze, ohne Ordnung – was ist das für ein Leben?«

»Vielleicht will ich eine Welt, in der es keine Autos gibt.«

»Wie stellst du dir das vor?«

»Ganz einfach – keine Autos, die die Luft verpesten, keine

Fabriken, keine Technik wie Flugzeuge, Panzer, Bomben.«

»Und was bleibt?«

»Sonne, Luft und Wasser und eine grüne Erde.«

»Und was willst du essen – Luft und Wasser?«

»Früher haben die Leute auch ohne Technik gelebt, und es ist gutgegangen.«

Der Vater griff sich an die Glatze, die inzwischen zu apoplektischer Reife gediehen war.

»Hör gut zu, Mutter! Sieh dir das an! Wen haben wir beide da großgezogen? Einen Stockkonservativen! Zu den Affen will er! Zurück zu den Affen!«

Polina stand in Mantel und Baskenmütze an den Türrahmen gelehnt. Sie hatte gehofft, der Sohn würde Vernunft annehmen und das Leben weitergehen wie früher. Aber leider, der unbotmäßige Sohn krachte sich mit dem Vater, und das war noch nicht mal das Schlimmste, nein, denn irgendein Wahnsinn, irgendeine Epidemie hatte die stille Stadt Kitesh befallen!

Polina hatte nicht die altägyptischen Manuskripte gelesen: »Heutzutage hören die Kinder nicht mehr auf ihre Eltern ...« Darum wähnte sie in dem Geschehen etwas Niedagewesenes, Ungeheuerliches – die seltsame Welt verdarb den Sohn.

17

Samson Popjonkin hatte sich entschlossen, seinen Chef diesmal nicht zu bemühen, er legte selbst »dem Köter die Schlinge um« und öffnete damit dem Brief des Lesers Sidorow die Tür in die Zone des gedruckten Wortes: »Herzlich willkommen!«

Noch waren die feuchten Bürstenabzüge des Leserbriefs nicht aus der Druckerei zurück, da ging schon ein ohrenspitzendes Raunen durch die Redaktion: »Haben Sie gelesen?«

»Tja-ha, eine scharfe Kurve.«

»Riecht wieder mal brenzlig.«

»Im Gegenteil, im Gegenteil – ein tüchtiger Kübel kaltes Wasser ins lodernde Feuer.«

»Na, da wird's Gequalm und Geknatter geben!«

Die Wände der Redaktion, ganz gewöhnlich anzuschauen, dauerhaft aus Ziegeln gemauert, besaßen die erstaunliche Eigenschaft, jeden mehr oder minder bedeutsamen Ton nach draußen dringen zu lassen. Abends, noch ehe die neue Nummer der Zeitung fertig umbrochen war, wanderte ein rätselhaftes Gerüchtchen durch die Straßen und Gassen der Stadt Kitesh. Es war sehr rätselhaft und unverständlich. Der Nachbar lief zum Nachbarn und verkündete:

»Es heißt, sie haben Iwan Lepota...«

»Was denn, ganz und gar?«

»Na, ganz und gar oder nicht, aber sie werden ihm die Seele rausschütteln.«

Der informierte Nachbar lief zum nächsten Nachbarn.

»Schon gehört? Iwan Lepota, den haben sie... ganz und gar...«

»Miliz?«

»Das weiß man noch nicht, aber eins steht fest – als Kusma Minin kannst du dich in unseren Tagen nicht lange austoben.«

Und Ach und Och und dumpfe Empörung und, wie man so sagt, der Gurgel verschlägt's den Atem.

Die Ziegelmauern der Redaktion waren schalldurchlässig, aber die Tür von Ilja Kryschews Arbeitszimmer war es mitnichten. Er erfuhr von der Geburt der ehrlichen Lesermeinung Sidorows erst, als er die nach Druckerschwärze riechende Zeitung entfaltete. Er las, saß da wie behämmert und stürzte ans Telefon.

»Popjonkin? Sofort zu mir!«

Samson Popjonkin erschien gehorsam im Zimmer des Chefs und nahm auf dem oft besessenen Stuhl gegenüber dem schweigenden Fernseher Platz. Sein Blick war geruhsam, versonnen, sein Schlipsknoten straffgezogen, sein Jackett bis oben zugeknöpft.

»Was hat das zu bedeuten?« Kryschew schlug mit der Hand auf die entfaltete Zeitung.

»Das sehen Sie doch, ein Leserbrief.«

»Soll das eine Art Geburtstagsüberraschung sein? Warum hast du das nicht mit mir abgestimmt?«

»Gibt's etwa von Kallistrat was Neues?«

»Was hat Kallistrat damit zu tun?«

»Nun, Ilja Makarowitsch, man könnte Ihnen vorwerfen, Sie hätten erst Alarm geschlagen und dann gleich einen Rückzieher gemacht.«

»Genau! Genau! Einen Rückzieher! Wer hat dich gebeten, mit diesem Brief vorzuprellen?«

»Ich möchte, daß Sie in jedem Falle Chefredakteur bleiben – wenn Kallistrat besiegt wird und wenn er siegt. Im ersten Falle haben Sie das Verdienst, Alarm geschlagen zu haben, im zweiten Falle hat Ihre Zeitung das Verdienst, zu seinem Schutz aufgetreten zu sein.«

Kryschew warf verwirrte und argwöhnische Blicke auf seinen unerschütterlichen Stellvertreter.

»Das sind doch Winkelzüge, Freundchen! Spielst dich als Wohltäter auf. Es kommt doch so heraus, daß ich auf Kallistrat geschossen habe und du ihn gedeckt hast.«

Samson Popjonkin erhob sich, seine Unerschütterlichkeit beibehaltend, vom Stuhl.

»Ja, gedeckt, vom Hinterland aus. Aber... Sie können den Brief ja noch rausschmeißen. Wir haben im Stehsatz einen Artikel über die Melkerin Kapustina. Das geht, die Auflage ist noch nicht ausgeliefert.«

Und schon war der Chefredakteur Kryschew entwaffnet. Den Leserbrief rausschmeißen, der schon gesetzt war, das konnte Tratsch und Gerede auslösen, das hieße, sich als offener Feind des unantastbaren Kallistrat Syrzow auszuweisen. Er möchte schon, doch er fürchtet sich – oh, diese Dialektik!

Samson Popjonkin marschierte mit knallenden Absätzen und erhobenem Haupt aus dem Raum.

Nun gab es kein Halt mehr für den in die Welt eingehenden Leser mit dem Allerweltsnamen Sidorow.

18

Hartnäckiges Schlackerwetter hing über dem Morgen der Stadt Kitesh. Die regennasse Fassade der Redaktion hatte etwas von einem leidverzerrten Gesicht.

Neben dem Eingang zwei verglaste Schaukästen.

Der eine barg verzogene, verblichene Fotos zum Thema Frühjahrsaussaat. Zwar herrschte rund um die Stadt Kitesh bereits tiefer Herbst, doch die Fotos zeigten die Frühjahrsaussaat, möglicherweise die des Vorjahres. Aller Voraussicht nach würden sie dort bis zur neuen Aussaat hängen und ihre Aktualität wiedergewinnen.

Der zweite Schaukasten barg die druckfrische, soeben erst fertiggestellte Nummer der Zeitung »Morgenröte von Kitesh«. In dem spärlichen, doch unversiegbaren Passantenstrom fanden sich immer Liebhaber, die gern vor dem zweiten Schaukasten verweilten. Gewöhnlich sah man drei oder vier geneigte Köpfe. Heute drängte sich ein Häuflein Menschen. Gewöhnlich waren die Leser von akademischer Gelassenheit, verdauten die Zeitungsneuigkeiten jeder für sich und entfernten sich dann, ohne sich mitgeteilt zu haben. Heute gebaren die ausgebreiteten Zeitungsseiten Volkstribunen.

»Auf wen zielt denn der? Auf uns doch, Leute. Mit Pithekanthropus sind wir ja gemeint! Merkt ihr was? Ich bin also ein Pithekanthropus, das ist so was wie ein großer Affe. Der Kerl haut uns gegen den Rüssel, Leute, und wir dürfen stillhalten. Stimmt's nicht?«

Er tönte weiter, der selbst ernannte Tribun – regennasse Schiebermütze, wie ein aus der Marinade genommener Pilz anzuschauen, unrasierte Knittervisage, offener Mantel, die Hände energisch in die eingerissenen Hosentaschen gesteckt, und die Stimme schien speziell zum Überzeugen zufälliger Straßenpassanten geschaffen. Es war eine Stimme, in der Tiefenintonationen zu spüren waren!

Polina, die zur Arbeit eilte, machte einen scheuen Bogen um den Tribun und warf ihm einen bestürzten Blick zu. Der appellierte an die versammelten Leser, weckte ihr Gewissen: »Über Iwan Lepota zieht der her, Leute! Diesen Sidorow möcht ich im Sarge sehen in weißen Latschen, aber Lepota, den kenn ich. Er hat mich seiner Bekanntschaft gewürdigt! Zu dritt haben wir 'ner Flasche den Hals gebrochen. Gedichte hat er uns vorgelesen. Ein Mann von unheimlicher Kraft! Und hier kommt irgend solch ein Sidorow daher ...«

Der Tribun blähte die Nasenlöcher, reckte die Schultern, als wollte er sagen, seht her, was für großes Gemüse ich in die Suppe rasple!

Polina wartete den letzten vernichtenden Schlag gegen Sidorow nicht ab, sondern schlüpfte durch die Redaktionstür, eilte die schäbige Treppe hinauf zum ersten Stock und ... lief dem ältesten Meister der Kitesher Bildreportage Tugobrylew direkt in die Arme.

»Polina Iwanowna, Goldstück! Ich wart ja schon so auf Sie! Bin extra früher gekommen. Eine Adresse brauch ich, nicht dienstlich, aus Gefälligkeit.«

»Was für eine Adresse, Ossip Ossipowitsch?«

»Das fragen Sie noch? Die von Sidorow! Der ist doch durch Ihre Hände gegangen!«

»Sidorow? Keine Ahnung.«

»Spielen Sie nicht Versteck mit mir, Polina Iwanowna, Goldstück, bitte kein Versteckspiel! Wo hat Samson das Briefchen rausgeangelt? Als ob es – hähä – an Ihnen hätte vorbeiflitzen können! Bitte kein Versteckspiel.«

»Ich kenne keinen Sidorow«, antwortete Polina verwirrt und dachte an den Tribun, der draußen Volksreden hielt.

»Polina Iwanowna, versetzen Sie sich in meine Lage: Wer ist Ossip Tugobrylew? Ein Schütze! Seine Sache ist es, Berühmtheiten aufs Korn zu nehmen. Wenn eine Ballerina höher als andere hüpft – aufs Korn mit ihr! Macht irgendwo ein Zuchtbulle von sich reden – auch aufs Korn. Und jetzt Sidorow! Von dem erwart ich mir gewaltigen Ruhm. Es kann doch wohl nicht sein, daß er in dem Brief seine Adresse nicht angegeben hat, wenigstens auf dem Umschlag. Oder?«

»Sidorow ... Den Namen habe ich eben erst gehört, als ich in die Redaktion kam.«

»Aber, aber, Polina Iwanowna! Sie machen ja Späße.«

»Ich weiß von nichts, Ossip Ossipowitsch. Ehrenwort. Drängen Sie mich nicht.«

Die schlauen Äuglein in dem breiten Gesicht Tugobrylews öffneten sich, so weit es ging, was sie fast viereckig machte.

»T-t-t!« machte der Meister der Bildreportage. »So läuft der Hase also! Drängen Sie micht nicht... Geheimhaltung ist angesagt. T-t-t! Sidorow ist vielleicht gar nicht Sidorow! Darauf wäre ich alter Esel nicht gekommen. Ich schweige, Polina Iwanowna, ich schweige! Ich werde nicht drängen. Nein!«

Der verwegene Meister der Bildreportage stürmte im Elefantengalopp in das nächste Zimmer am Korridor, wo schon alle beisammen waren, doch noch nicht ihren Dienstverpflichtungen nachgingen.

»Ein Rauchvorhang, Brüder, ein Rauchvorhang!« schrie er von der Schwelle her.

»Der Kanonier hat was mitgebracht.«

»Leser – ha! Es wird geheimgehalten, wer er ist, man kommt nicht ran.«

»Von wem redest du?«

»Von wem schon? Von Sidorow. Keine Informationen über ihn zu kriegen. Geheimhaltung.«

»Hehe, dann ist das keine mittlere Figur.«

»Das Tier erkennt man an der Fährte.«

»Vielleicht hat sich Onkel Kallistrat ein Pseudonymchen zugelegt?«

»Wenn unsere keine Angst hatten, Kallistrat anzupinkeln, wozu sollen sie ihn dann so naß über die Schwelle lassen?«

»Der Mann ist noch größer als Kallistrat!«

Alle wurden still, dann warf jemand bedrückt hin:

»Heilige Mutter, da hat sich ja ein toller Schreiber bei uns eingeschlichen!«

Das Gerücht von der geheimnisvollen Größe Sidorows verbreitete sich blitzartig in der Redaktion und schwappte auch nach draußen.

Währenddessen schlug Polina, die sich wie immer als stille Einsiedlerin in ihre Leserbriefabteilung zurückgezogen hatte, die druckfrische Zeitung auf und lernte nunmehr den Leserbrief Sidorows kennen. Die tags zuvor durch die Redaktion gegangenen Gespräche hatten sie nicht erreicht.

Sidorow... Leserbrief... Nein, sie konnte sich an diesen Brief und an diesen Leser nicht erinnern. Beides hatte es nicht gegeben. Aber da stand es vor ihr: »Liebe Redaktion! Sind Sie nicht verwundert über den Taumel, welcher, den Seiten Ihrer Zeitung entstiegen...« Samson Popjonkin hatte die Briefe geholt und sie ihr mit den Worten zurückgebracht: »Alles in Butter. Hab mir was rausgefischt.« Nicht schlecht, was rausgefischt... Wie hatte sie das übersehen können?

Polina stürzte zu dem entsprechenden Schrank, zu dem entsprechenden Regal und holte alle Briefe hervor, die sie Samson Popjonkin gegeben hatte. Eine Stunde lang vergrub sie sich darein und sah jeden genau durch. Nichts dergleichen. Merkwürdig. Aber: »Liebe Redaktion! Sind Sie nicht verwundert über den Taumel...«

Ihr kam ein ernüchternder Gedanke: Wenn der Brief Sidorows in Druck gegangen war, konnte er nicht unter diesen hier sein, die wegen Untauglichkeit zurückgekommen waren, sondern war bestimmt woanders abgelegt worden. Ein nüchterner Gedanke, aber nicht beruhigend.

Das Ganze war ein Rätsel – wie hatte sie den Brief übersehen können? Ja, wenn es eine Briefflut gegeben hätte! Oft geschah so etwas nicht, doch Polina hatte Fälle in Erinnerung, daß die Zeitung in einem Hochwasser von Lesermeinungen ertrank. Das letztemal, wenn sie bloß ein besseres Gedächtnis hätte, war das vor sieben Jahren gewesen, als derselbe Iwan Lepota wegen seiner Schwärmerei für die nicht existierenden Kirchenglocken von Kitesh Prügel bezog. Die Leser hatten sich in den Kampf gestürzt, um die scharf gestellte Frage zu beantworten, ob man seinerzeit gut oder schlecht daran getan habe, die Stadt

Kitesh ihres Glockengeläuts zu berauben. Aber selbst damals hatte Polina jeden Brief selbst durchgesehen. Jetzt gab es keine solche Flut, die Leser waren noch nicht in Fahrt gekommen, und mit dem bescheidenen Bächlein des Epistel-Genres fertig zu werden bereitete keinerlei Mühe.

Der Brief existierte nicht, doch da war er: »Liebe Redaktion! Sind Sie nicht verwundert...« Jahr für Jahr, tagaus, tagein hatte Polina Briefe gesichtet und gewartet. Jahr für Jahr, tagaus, tagein hatte in ihr das Hoffnungsfünkchen geglommen, in all dem tauben Gestein plötzlich einen Diamanten zu entdekken, ihn zu bergen und allen zu zeigen. Dann würden alle staunen, in Entzücken geraten, und Polina würde in aller Munde sein. Jetzt war es endlich passiert! Auf dem Tisch lag die aufgeschlagene Zeitung mit dem Leserbrief: »Liebe Redaktion! Sind Sie nicht verwundert...« Man sprach darüber, ereiferte sich, Tugobrylew suchte den Briefschreiber, sah in ihm eine kommende Berühmtheit. Das war der Diamant, von dem sie geträumt hatte! Der einzige Erfolg im ganzen Leben!

Doch wie sehr sie auch ihr Gedächtnis bemühte, sie konnte sich nicht besinnen. War sie krank? Unzurechnungsfähig? Nahte das Alter?

Schreckliche Angst bemächtigte sich Polinas.

Sie konnte nicht mehr in ihrem stillen Zimmer sitzen, sie wollte wie Tugobrylew unbedingt herauskriegen, wer und was dieser Sidorow war und wie man ihn aufnahm. Sie ging in den Korridor und hatte nach wenigen Minuten heraus, daß Sidorow kein einfacher Leser war, daß man »das Tier an der Fährte« erkenne und daß jemand hinter ihm stand. Polina fühlte sich sofort erleichtert: War er schon kein einfacher Leser, dann war sein Brief gewiß nicht auf einfachem Wege, nicht mit der Post in die Redaktion gelangt. Nimmt es da wunder, daß er an ihr vorbeigegangen war?

Jeden Morgen schaute sie aus dienstlicher Pflicht beim verantwortlichen Sekretär vorbei. Das tat sie auch heute, sie brachte ihm ein paar gänzlich bedeutungslose Briefe. Samson Popjonkin war wie immer schwer beschäftigt, er wühlte in

Korrekturfahnen und las jemandem durchs Telefon die Leviten wegen mangelnder Operativität. Als er Polina sah, warf er den Hörer in die Gabel und rieb sich erregt die Hände.

»Unser Briefchen wirkt schon, Polina Iwanowna. Und wie es wirkt!«

»Unser?« fragte Polina mit erloschener Stimme.

»Unser, Polina Iwanowna! Unser! Einen Goldfisch haben wir diesmal geangelt, wir beide.«

Polina gab keine Antwort, sie stand da, ließ verwirrt die Brille blinken und ging hinaus, ohne die mitgebrachten Briefe auf dem Schreibtisch des verantwortlichen Sekretärs deponiert zu haben.

19

Chefredakteur Ilja Kryschew tat eigentlich nichts anderes als warten, warten, warten, auf irgend etwas. Das einzige Resultat – nichts! Die Telefone auf seinem Schreibtisch schwiegen ihn drohend an, niemand bestellte ihn irgendwohin, niemand zog bei ihm Erkundigungen ein – er war völlig vergessen, niemand brauchte ihn. Wenn ... Aber vergessen, das war unmöglich. So unbedeutend war er nicht in der Stadt, daß man ihn in dieser wirren Zeit vergessen könnte. Überdies hatte die Wirren er ausgelöst, indem er eigenhändig »dem Köter die Schlinge umlegte«. Nein, natürlich erinnerte man sich an ihn, wurde sein Name irgendwo immer wieder genannt.

Nichts im Leben entkräftet und zermürbt den Menschen so wie warten. Ein Leben in Unbeweglichkeit – absurd, Leben, das ist Tätigkeit, Bewegung. Warten läßt das Leben stillstehen. Selbst das Warten auf einen Zug, der fahrplangerecht eintrifft, ist unerträglich. Das Warten aber auf etwas, was man nicht weiß, ist eine total unerträgliche Folter.

Ilja Kryschew erstarrte in Unbeweglichkeit, doch rund um ihn brodelte es. Sidorows Brief, das beunruhigte Passantenhäuflein vor dem Schaukasten am Eingang zur Redaktion, der ächzende, zischelnde, tuschelnde Redaktionskorridor. Kryschew hielt es nicht aus, er erwachte aus seiner Erstarrung, erhob sich hinter dem grünen Gefilde seines Schreibtischs, verließ die beharrlich schweigenden Telefone, trat in den Korridor.

In seinem seitlich-scheuen Trippelgang schnürte er auf seine Mitarbeiter zu. Die einfachen Mitarbeiter waren zunächst ein wenig verlegen ob dieses unerwarteten Ausfalls, doch als Kryschew sie mit gespielter Munterkeit ansprach – »Wie ist die Stimmung? Was hört man Neues?« –, da faßten sie sich schnell und setzten ihm zu:

»Ilja Makarowitsch, sagen Sie, Sidorow, ist das ein Pseudonym?«

»Darf man damit rechnen, daß er sein Inkognito lüftet?«

Der Chefredakteur war binnen weniger Minuten von der allgemeinen Überzeugung durchdrungen, daß Sidorow durchaus kein kleines Tier sei. Wie hätte er auch dieser Überzeugung widerstehen sollen bei dieser nervlichen Spannung und dem ewigen Warten ohne Ergebnis? Überdies lag es nicht in Kryschews Natur, sich von den Massen zu lösen – er glaubte stets das, was alle glaubten, er dachte so, wie alle dachten.

Sidorow – eine Tarnmaske als einfacher Leser! Darauf war er nicht gekommen, doch er hätte es müssen! Ein Umstand von äußerster Wichtigkeit.

In seitlich-scheuem Trippelgang eilte er davon, um Samson Popjonkin zu suchen, er wollte ihn an die Wand drücken, zum Kern vordringen, doch kaum hatte er ein paar Schritte gemacht, da kam die Sekretärin aus dem Vorzimmer gestürzt.

»Ilja Makarowitsch!« rief sie gedämpft und ging sogleich zu ebenso gedämpftem Flüstern über: »Sie werden verlangt!«

Man erinnerte sich an ihn, man rief ihn!

Im Nu war er in seinem Zimmer am Telefon, preßte mit schweißiger Faust den Hörer ans Ohr: »Ich höre.«

»Eine kleine Frage, Genosse Kryschew. Dieser Sidorow... äh... Wer ist das eigentlich?« Diese Frage wurde ihm ohne Vorreden an die Stirn geknallt.

Dort interessierte man sich gleichfalls für Sidorow und glaubte nicht recht an den einfachen Leser.

Kryschew druckste. Ich weiß nicht, das konnte er nicht gut antworten, denn dann würde sogleich die vernünftige Entgegnung folgen: Wer weiß es denn? Da kam ihm rechtzeitig die rettende Idee.

»Momentchen«, sagte er mit klarer, kaum bebender Stimme. »Ich hole den Mann, der dieses Material bearbeitet hat. Er wird Ihnen alles erklären.« Er riß sich von dem Hörer los, nickte der Sekretärin: »Popjonkin! Tempo!«

Samson Popjonkin erschien sofort, ging mit raschen Schritten von der Tür zum Schreibtisch, und sein Gesicht zeigte höfliche Bereitschaft und keinerlei Verwirrung, keinerlei Angst – Nerven hat er, der Hundesohn! Er nahm aus Kryschews Hand den feuchten Hörer entgegen und sagte munter:

»Verantwortlicher Redaktionssekretär Popjonkin am Apparat... Ja, ich bin's... Ja, habe ich bearbeitet... Auf ganz normalem Wege, über die Leserbriefabteilung... Entschuldigen Sie, doch so wichtige Fragen verlangen meiner Ansicht nach ein objektives Herangehen. Wir hielten es für notwendig, auch solch eine Meinung zu veröffentlichen... Danke... Danke. Ich habe nicht daran gezweifelt, daß Sie es gutheißen würden... Ach, der Autor... Ich sagte schon: Sidorow ist ein Leser und weiter nichts... Ach, Sie meinen, aus der Umgebung von Kallistrat Polikarpowitsch? Möglich, doch wenig wahrscheinlich... Warum? Weil wir viele Male bei Mitarbeitern des Kombinats Artikel bestellt haben, und wenn ich vergleiche – der Stil ist ganz anders. Die Kombinatsleute hätten unbedingt mit Zahlen operiert, doch in dem Brief, das werden Sie bemerkt haben, klingt das ganz anders... Ich weiß nicht, ich weiß nicht... Möglich, durchaus möglich... Ja, ja, auch ich neige zu der Meinung, daß Genosse Sidorow mehr recht hat als Iwan Lepota... Freut mich, daß meine Ansichten mit den Ihrigen übereinstimmen. Auf Wiedersehen.«

Samson Popjonkin legte auf, warf seinem Chefredakteur, der in ehrerbietiger Stehhaltung verharrte, einen vielsagenden Blick zu.

»Sidorows Zuschrift... wird gutgeheißen.«

Kryschew echote: »Wird gutgeheißen...«

»Brauchen Sie mich noch, Ilja Makarowitsch?«

»Nein... Das heißt, ja. Ja, ich brauche Sie. Sagen Sie in allen Abteilungen Bescheid, wir machen eine Kurzversammlung! Alle sofort zu mir!«

Das Auftreten des Lesers Sidorow wurde gutgeheißen, also mußte er, Ilja Kryschew, es auch gutheißen. Und zwar so, daß alle es hörten. Und ohne zu zaudern, damit niemand auf die Idee kam, daß er schwankte.

Samson Popjonkin nickte mit seinem glattgefahrenen Kopf seinem Chef verständnisinnig zu.

»Gut.«

20

Nichts ist im Leben der Stadt Kitesh so umfassend und so dauerhaft eingebürgert wie Versammlungen. Mit Versammlungen werden Feiertage begangen, Versammlungen füllen den Alltag. Wenn der Kitesher in noch ganz grünem Alter die Schwelle der Schule überschreitet, noch ohne eigene Bürgerrechte, weiß er bereits, daß sein ganzes Leben von Versammlung zu Versammlung verlaufen wird. Mit einer Versammlung wird es auch enden: »Ruhe sanft, teurer Genosse...«

Das Redaktionskollektiv wurde in periodischen Abständen von drei Versammlungsformen beglückt: der Kurzversammlung, die zu jedem beliebigen Anlaß und auch ohne Anlaß an beinahe jedem Tag, den Gott werden ließ, anberaumt wurde, der eigentlichen Versammlung, die weit seltener durchgeführt wurde, und endlich dem Redaktionskollegium, einer Art Areopag, der von Fall zu Fall tagte.

Ilja Kryschew hatte den Aufruf erlassen – alle zur Kurzversammlung.

Am langen Tisch, der mit Billardtuch bedeckt war, saßen nahe beim Chefredakteur und dem schweigenden Fernseher, gewichtig, mit Komfort – ein Aschbecher für zwei Personen –, die Abteilungsleiter, gesetzte, gewissenhafte Männer, die für die Zeitung lebten und starben. Die gewöhnlichen Mitarbeiter hingegen saßen in anarchischer Unordnung, jeder, wo er wollte, vorzugsweise nahe der Tür.

»Ich halte Sie nicht lange auf, Genossen«, begann Kryschew mit dem rituellen Satz, der in der Regel nicht der Wirklichkeit entsprach. »Wer von uns, Genossen, möchte nicht, daß unser ruhmreiches Kitesh von reinen Wassern umspült, von dichtbelaubten Kronen umrauscht, von Nachtigallenliedern umsungen würde ...«

Es gibt zwei Arten von Reden zu einer Sache, man könnte sie so definieren – entlarvende und rettende. Die ersten beginnen stets mit »Zum Wohl« und enden mit »Ruhe sanft«, die zweiten hingegen beginnen mit »Ruhe sanft« und enden mit »Zum Wohl«. In beiden Fällen vollzieht sich der Übergang von dem einen Zustand in den anderen mit Hilfe des einfachen, doch höchst gehaltvollen Bindewortes »aber«.

Ilja Kryschew begann mit »Zum Wohle«. Dann: »Aber, Genossen! Können wir wegen des Nachtigallenschlags auf den industriellen Fortschritt verzichten?«

Eine gute Viertelstunde lang wies Kryschew mit energischer Stimme darauf hin, inwieweit die Industrie wichtiger sei als der Nachtigallenschlag. Energisch, kriegerisch war die Stimme! Denn der schüchterne Kryschew, der selbst den Korridor der ihm anvertrauten Redaktion mit seitlich-scheuem Trippelgang längs der Wand durchschnürte, war in seinen Reden häufig von unversöhnlicher Aggressivität.

»Genossen, seien wir objektiv. Wir wollen keinem den Mund zuhalten. Darum hat unsere Zeitung sowohl denen Platz eingeräumt, die die süßstimmigen Nachtigallen verteidigen, als auch denen, die für die Entwicklung unserer Kitesher Industrie sind. Sowohl Iwan Lepota als auch dem Genossen Sidorow! Jetzt, da beide Seiten ihr Wort gesagt haben, müssen wir uns fragen: Mit wem sind wir? Jawohl, mit wem sind wir, Genossen? Ich glaube, da kann es keine zwei Meinungen geben.«

Kryschews Stimme klang auf einmal unwahrscheinlich laut und getragen, denn im Raum war Stille eingetreten.

»Wir stehen voll und ganz – jawohl! –, voll und ganz auf seiten des Genossen Sidorow! Genosse Sidorow lehrt uns... Das Wort des Genossen Sidorow erhellt uns den Weg... Die wertvollen Hinweise des Genossen Sidorow...«

Die Stille erdrückte alles außer der lobpreisenden Stimme Kryschews. Jeder der Anwesenden spürte einen heiligen Schauer über den Rücken laufen – so war das also! Alle hatten schon vorher vermutet, daß der Leser Sidorow, der die Zeitung mit seinem Brief beglückt hatte, kein einfacher Leser sei, keiner aus der Masse, doch niemand hätte geglaubt, wie bedeutend er war: Er lehrte, er erhellte, er gab wertvolle Hinweise... Höher ging's nimmer. Chefredakteur Kryschew, der in der Zeitung die Außenbeziehungen wahrnahm, mithin breit unterrichtet war und tief fühlte, öffnete jetzt allen die Augen für den Abgrund, welcher zwischen gewöhnlichen Sterblichen und dem Manne klaffte, der sich bescheiden als einfacher Leser Sidorow ausgab.

Die Leute zogen den Kopf ein, und Kryschews Stimme hieb, sich biegend und in die Gerade zurückfedernd wie eine Stahlrute, auf die Köpfe ein, als er den Genossen Sidorow in den Himmel hob. Ilja Kryschew war in diesen Minuten groß in seiner Größe.

Samson Popjonkin, der an der Spitze der kleinen Kohorte von Abteilungsleitern saß, dachte respektvoll: Wie geschickt er das macht, der versteht es, aus der Zange zu springen. Doch unwillkürlich zog er wie alle den Kopf ein.

Am meisten beeindruckt war wohl Polina, die bescheiden bei der Tür saß. So einer war also an ihren Händen vorbeigegangen! Nicht in einer Sintflut, nicht in einem Strom, nein, in einem kargen Bächlein war ein so großer Fisch unbemerkt vorübergeschwommen! Jede Erwähnung Sidorows machte sie erbleichen und frieren, und ihr Herz raste.

Kryschew schloß und setzte sich in seinen Sessel.

»Wer möchte sich äußern, Genossen?«

Natürlich würden sich Interessenten finden, die den Genossen Sidorow ebenso priesen und Iwan Lepota brandmarkten, den Dichter, den sie noch gestern nachgerade zu einem Kusma Minin, zum Kämpen von Kitesh, erhoben hatten, doch das würden klägliche Wiederholungen sein. Kryschew hatte alles menschenmögliche getan – jetzt würde keiner mehr bezweifeln, daß der Chefredakteur die Position Sidorows voll und ganz guthieß.

....

Sie verließen das Zimmer des Chefredakteurs ohne Lärm, ohne Gedränge, in angemessenem Schweigen, ein wenig bedrückt. Keinem von ihnen wäre in den Sinn gekommen, daß mitten unter ihnen... nein, nicht eine Autorität hinausging, sondern ein Geist. Der Geist des Lesers Sidorow, der von unerreichbarer Größe war, ausgestattet mit unermeßlicher Macht. Er ging hinaus und schritt durch die Wände der Redaktion in die Straßen der Stadt, um die Gemüter zu erregen und menschliche Schicksale zu verändern.

21

Ein Schicksal änderte der Geist sofort, noch ehe er das Chefzimmer verlassen hatte.

»Ossip Ossipowitsch!« rief Kryschew den Fotoreporter Tugobrylew, der infolge seiner Dickleibigkeit in der Tür steckengeblieben war. »Augenblick noch... Ich habe Sie neulich gebeten, dies und jenes zu knipsen...«

»Dreck, Ilja Makarowitsch. Dreck sollte ich knipsen.«

Kryschew runzelte die Stirn. Sehr taktvoll war er nicht, dieser Tugobrylew. Er mußte doch begreifen, daß ein solches Gerede im Klartext jetzt völlig unangebracht war.

»Vergessen wir das. Ein solches Gespräch hat es nie gegeben. Dreck... Tatsächlich. Wie sagten Sie doch neulich?«

»Nicht fotogen, Ilja Makarowitsch.«

»So ist es.«

»Ich praktiziere mehr Motive des Schönen.«

»Wunderbar, Ossip Ossipowitsch. Wir brauchen das Kombinat in all seiner Schönheit... und Größe.«

»Wird gemacht, Ilja Makarowitsch. Dort soll es Kläranlagen geben, viele Hektar groß. Die hat noch keiner abgebildet.«

»Aber ohne Dreck, Tugobrylew, ohne jede Unsauberkeit. Klar?«

»Der Leser wird sich die Finger lecken.«

»Handeln Sie.«

Und Tugobrylew stürmte zur Tür, um zu handeln.

Zur selben Zeit weilte der ruhmreiche Poet Iwan Lepota bei dem nicht minder ruhmreichen Kritiker Petrow-Raufbold zu Gast.

Dies würde jeder der zahlreichen Anhänger Lepotas gewiß sehr merkwürdig gefunden haben, denn öfter als andere ließ ausgerechnet Petrow-Raufbold den kritischen Knüppel auf das Haupt des berühmten Dichters niedersausen. Und nun auf einmal – siehe da, er besucht ihn, sitzt mit ihm am Tisch, bei einer entkorkten Flasche, in friedlichem Gespräch... Unfaßbar!

Nicht zum erstenmal trafen sie sich so, Auge in Auge, beinahe liebevoll – der erbarmungslose Kritiker und der leidgeprüfte Dichter, der Falke und die Taube, der tückische Panther und die bebende Hindin. Waren sie doch, o weh, seit langem durch engste Bande aneinandergeknüpft. Kein anderer als Petrow-Raufbold hatte seinerzeit den Poeten Lepota entdeckt, indem er dessen erstes Gedicht zerschmetterte. Indem er es nämlich zerschmetterte, zwang er den Leser, es zu beachten. Kein anderer als Petrow-Raufbold war es, der sich intensiv um die Herausgabe jedes neuen Gedichtbandes von Iwan Lepota bemühte, indem er auf mancherlei Weise weiterhalf und das Geistesprodukt durch die Redaktionsbarrieren stieß. Wen hätte er sonst beschimpfen und entthronen sollen? Der Poet Iwan Lepota lieferte dem Kritiker Petrow-Raufbold ständig Nahrung. Da eine Hand die andere wäscht, schmiedete der Kritiker Petrow-Raufbold emsig am Ruhm des Poeten Lepota. Einer war ohne den anderen undenkbar, und so nimmt es nicht wunder, daß sie sich von Zeit zu Zeit zu einem freundschaftlichen Gelage trafen.

Petrow-Raufbold ähnelte äußerlich ebensowenig einem tückischen Panther wie Iwan Lepota einer bebenden Hindin. Er erinnerte eher an jenen historischen Riesengaul, der, wie behauptet wird, eines Tages in den römischen Senat eingeführt wurde – von monumentaler Gewichtigkeit, zugleich jedoch ungefüg, das Gesicht massiv verlängert, die Stimme satt, mit schallendem »Ho-ho-ho«!

»Hör mal, du Klotz!« Der dröhnende Baß des Hausherrn betäubte den ein wenig suffschlaffen Iwan Lepota. »Das Ganze mißfällt mir sehr, du Klotz. Ich sag's, wie's ist. Du weißt, ich bin ein gradliniger Mensch.«

»Du hast dich lange genug an meinem Leibe gemästet, grauer Wolf, stell dich endlich auf Gras um«, antwortete Iwan Lepota mit der gleichen löblichen Direktheit. »Diesmal bin ich hoch hinauf getragen worden, da kannst du mich nicht beißen.«

»Du sollst den Tag nicht vor dem Abend loben. Sie stoßen dich ja schon von der Höhe runter, du Klotz. Schon haben sie ein Hündchen auf dich losgelassen. Hähä! In der heutigen Zeitung... Ein gewisser Sidorow, von dem hab ich noch nie gehört.«

»Samson Popjonkin kurbelt heute so und morgen so. Das ist sein Werk.«

»Samson Popjonkin, vor dem mußt du Angst haben. Der ist ein kleines Tier, aber mit scharfen Zähnen, der beißt dir schnell eine Ader durch. Ich sehe noch nicht klar, wie schwer das Steinchen ist, das er sich ausgesucht hat. Vielleicht ist dieser Sidorow auch ein Schwergewicht.«

»Zu spät. Die ganze Stadt ist auf meiner Seite. Mit der Stadt zusammen hab ich mehr Gewicht als jeder andere.«

Petrow-Raufbold wiegte zweifelnd oder respektvoll den Pferdekopf.

»Jedennoch...«

Er konnte nicht weitersprechen, denn im Nebenzimmer klingelte das Telefon, und er mußte sich ächzend von seinem Stuhl erheben.

Zehn Minuten später kehrte er zurück und zeigte lächelnd seine großen gelben Zähne. Iwan Lepota warf die Erstarrung ab und richtete sich gerade – wenn Petrow-Raufbold gute Laune hatte, verhieß das nie Gutes.

»Na, Klotz, zu Ende ist dein Liedchen: ›Großvater, Großmutter hab ich verlassen . . .‹«

»Gibt's was Neues?«

»Ha! Und ob! Sidorow ist nicht aus kleinem Geröll gemacht. Ha! Grade eben hat Kryschew ihm vor aller Welt Liebe und Treue gelobt: Genosse Sidorow lehrt, Genosse Sidorow gibt Hinweise! Merkst du, Klotz, was für dich dabei herausschaut?«

»Tja«, antwortete Lepota betrübt. »Dieser Samson ist ein wirklicher Räuber Solowej.«

»Es sieht nicht nach einer Samson-Intrige aus, da mußt du schon höher greifen.« Petrow-Raufbold rieb sich die schwieligen roten Pranken. »Na, kippen wir noch einen, dann trennen wir uns. Ich muß arbeiten, mir jucken die Hände. Eine solche Suppe eingerührt, und der Raufbold soll draußen bleiben? Nichts ist! Ach, jetzt schüttel ich dich in einem Artikel durch, du Klotz, daß das Mehl nur so rieselt! So wie Genosse Sidorow lehrt, nach seinen Hinweisen!«

22

Wenn die Zeitung Iwan Lepota fallenließ, so gab es im Kitesher Fernsehstudio auch einen, der fallengelassen werden mußte – den Kandidaten der medizinischen Wissenschaften Malyschew, der vor vielen Tausenden von Fernsehzuschauern behauptet hatte, die Verschmutzung der Luft und des Wassers wirke sich verderblich auf die Gesundheit aus. So wurde denn der Kandidat entsprechend den Weisungen des Genossen Sidorow im Studio in aller Öffentlichkeit zu einer äußerst rückständigen Figur, einem Pithekanthropus erklärt.

An der Biofak des Pädagogischen Instituts zu Kitesh kam man gleichfalls zur Besinnung, wanderte doch dort eine Petition von Hand zu Hand, für die Unterschriften gesammelt wurden, um die Biosphäre zu schützen und Kallistrat Syrzow zu entlarven. Hier war es gar nicht schwer, die Pithekanthropi zu ermitteln, denn jeder, der seine Unterschrift gegeben, hatte sich damit selbst des Namens Homo sapiens als unwürdig erklärt (hier wurden ausschließlich wissenschaftliche Termini benutzt). Unter den Pithekanthropi waren leider mehrere Professoren.

Der Geist des Lesers Sidorow schritt durch die Stadt, bewegte die Gemüter, änderte Meinungen und Schicksale.

Allein, der mächtige Geist traf plötzlich auf einen würdigen Gegner. Ob ihr wohl erratet, in wessen Person? In Person des bewußten Pjotr Petrowitsch, Vertreters der breiten Massen der Stadt Kitesh, Abonnenten der Ortszeitung, des bescheidenen Angestellten, der mit peinlichster Regelmäßigkeit die letzten Nachrichten hörte, Fernsehsendungen sah, abends aus Plexiglas Zigarettenetuis sägte und gern über die innere und die internationale Lage plauderte. Er, der gewöhnliche Leser Pjotr Petrowitsch, der eben erst mit kühnem Mut den allmächtigen Kallistrat Syrzow attackiert hatte, er hatte in seinem Charakter etwas Majestätisch-Löwenhaftes angenommen, daher fürchtete er auch den Geist des Lesers Sidorow nicht. Er urteilte so: Sidorow ist Leser, ich bin Leser, wieso soll seine Meinung wichtiger sein als meine? Welches Recht hat Sidorow, mich zum Pithekanthropus abzustempeln? Und warum soll ich das schweigend schlucken? Ich will nicht!

Nachbarn trafen sich, äußerten ihre Entrüstung über Sidorows Gnadenlosigkeit.

Die Naturschutzgesellschaft, die noch vor wenigen Tagen mikroskopisch unauffällig gewesen war und dann weitreichende Bekanntheit gewonnen hatte, traf sich wieder zur Beratung. Es wurde die Frage gestellt: dem Naturschutz entsagen und die Gesellschaft retten oder wie früher auf dem Naturschutz beharren und die Gesellschaft auflösen? Die Sache war nämlich die, daß die Kameraden vom Jägerverband, die der

Gesellschaft gnädiglich einen Raum zur Verfügung gestellt hatten, sich plötzlich entschieden hinter den Leser Sidorow stellten und ein Ultimatum aussprachen: Wenn ihr uns nicht unterstützt, halten wir euch für Pithekanthropi und schmeißen euch raus. Und was ist das für eine Gesellschaft, die keinen Raum für Sitzungen hat?

Die Mitglieder berieten stürmisch, wogen das Für und Wider ab. Draußen bildete sich erneut ein Menschenauflauf von Pjotr Petrowitschs beiderlei Geschlechts, die Sidorow ablehnten und Iwan Lepota priesen. Selbstverständlich taten sich unter ihnen Tribunen hervor – Schirmmütze in die Augen geschoben, das Kinn unrasiert, in der Stimme Tiefenintonationen.

Und alles wäre gutgegangen, die Gesellschaft hätte bis zu Ende getagt, dann sich selber aufgelöst oder aber dem Naturschutz entsagt, die Menge hätte sich zerstreut und die Tribunen sich verkrümelt, doch leider stellte sich ein seltsamer Passant ein, dem Aussehen nach Rentner, dem Geiste nach Eiferer. Mit lauter Stimme kreischte er in die Menge:

»Außer Rand und Band seid ihr! Man wird mit euch nicht mehr fertig! Ihr habt die eiserne Disziplin vergessen! Erschossen gehört ihr! Erschossen!«

Kaum hatte er diese Worte gesprochen, war er sogleich dicht umstellt. Einer der Tribunen mit einem achtunggebietenden Kinn, das dem Absatz eines Armeestiefels glich, packte den Eiferer ohne viel Federlesens am Kragen, so daß ihm der Hut vom grauen Haar fiel.

»Sag das noch mal, du alter Krippensetzer!«

Der Milizmann Leljuschko, der über die Ordnung wachte, rettete den tobenden Eiferer samt seinem zertrampelten Hut entschlossen vor der unvermeidlichen Lynchjustiz und forderte die ergrimmten Pjotr Petrowitschs, an ihrer Spitze der Tribun mit dem achtunggebietenden Kinn, streng auf, bis zum nächsten Revier zu spazieren, wo er ihnen fünfzehn Tage und Nächte pro Nase wegen Verletzung der öffentlichen Ordnung in Aussicht stellte.

Die Funktionäre der friedlichen Jägerorganisation fanden

sich voll edler Entrüstung bei den tagenden Naturschützern ein und legten ihnen nahe, den Keller zu räumen.

»Tagt, wo ihr wollt, bloß nicht bei uns. So was von Unruhe.«

Über den Fortbestand der Gesellschaft war damit ganz von selbst ohne Abstimmung entschieden.

Der Geist des Lesers Sidorow schritt durch die Stadt.

23

Polina kam gereizt und erschöpft aus der Redaktion nach Hause. Den ganzen Tag hatte das Gespenst Sidorows sie verfolgt. Den ganzen Tag wurde von nichts anderem gesprochen ringsum als von Sidorow! Sidorow! Sidorow! Ganz besonders bestürzt war Polina über die Rede des Chefredakteurs in der Kurzversammlung: »So handeln, wie es der Genosse Sidorow lehrt, nach seinen Hinweisen.« Auf dem Heimweg aber hatte sie einen Laden betreten, um Käse und Wurst zum Tee zu kaufen, und in der Kassenschlange gehört: »Dieser Sidorow ist gar nicht aus Kitesh.«

»Wo kommt er denn her?«

»Kallistrat Syrzow hat speziell einen Mann aus Moskau hergeholt.«

»Hört doch auf, aus Moskau! Ich kenn diesen Sidorow, der wohnt bei der ehemaligen Abdeckerei und ist ein Kneipenbummler.«

Sidorow! Sidorow! Sidorow! Stilles Entsetzen erfaßte Polina. Im Grunde ihres Herzens konnte sie nicht glauben, daß es diesen Sidorow überhaupt gab. Dabei glaubte es die ganze Stadt, die ganze Stadt wurde verrückt seinetwegen: Sidorow! Sidorow! Sidorow! Alle ringsum sind verrückt, nur du bist es nicht. So was kann nicht sein. Sidorow! Sidorow! Scheußlich!

Sie kam nach Hause und fand ihren Mann triumphierend vor.

»Endlich!« verkündete er, als er sie auf der Schwelle erblickte. »Endlich ist in unserm Kitesh ein heller Kopf aufgetaucht.«

Polina verkrampfte sich, sie wußte sofort, von wem er sprach.

»Ein heller Kopf und ein unbestechliches Gewissen! Der hat

keine Angst, allen ins Gesicht zu sagen: Bürger des ruhmreichen Kitesh, ihr habt einen Vogel!«

Polina schwieg.

»Wie er sie nennt! Pi-thek-an-thro-pi, die den Fortschritt hemmen! Sidorow ist eine Erscheinung, sag ich dir! Ein richtiger Ideologe! Sidorow ...«

»Hör auf!« sagte Polina, die es nicht mehr aushielt.

In ihrer Familie waren die, wie soll ich sagen, Kommandosphären streng verteilt: Adrian unterwarf sich Polina gehorsam in allen privaten und häuslichen Dingen – Einkauf, Renovierung, Urlaub, dafür übte er eine unnachsichtige Diktatur in den Maßstabfragen allgemein politischen Charakters aus – ob man diese oder jene Aggression verurteilen, wie man den neuen Beschluß würdigen solle und was die leidende Menschheit zu beglücken geeignet wäre! Da duldete er keinen Widerspruch. Nur sein Sohn hatte in letzter Zeit gegen die väterliche Diktatur aufzumüpfen begonnen. Polina stimmte stets schweigend zu. Und nun plötzlich das heftige, unehrerbietige »Hör auf«! Adrian war nicht einmal beleidigt, nur maßlos verwundert.

»Du ... du bist gegen Sidorow?«

»Sidorow! Sidorow! Sidorow! Nicht mal zu Hause hat man seine Ruhe vor dem!«

»Nein, nein, das glaub ich nicht! Du, Polja ... du bist gegen meine Ansichten, gegen die Prinzipien! Oder möchtest du vielleicht, daß in unserer Stadt von solch unreifen Dichtern wie Lepota ungesunde Leidenschaften entfacht werden? Dann möchtest du etwas, was meinen Ansichten zuwiderläuft!«

»Ich möchte nur eins – mir die Ohren verstopfen und nicht dauernd hören: Sidorow! Sidorow! Sidorow!«

»Das glaub ich nicht! Das glaub ich nicht! Nein! Meine Frau will sich die Ohren verstopfen, nichts hören, sich drücken! Vor wem? Also hältst du Sidorow für einen Demagogen, Meckerer, Kleingläubigen? Oder ist er ein Kämpfer für den Fortschritt? Was ist er? Antworte!«

»Ich weiß nicht! Ich weiß nicht! Ich weiß nicht! Laß mich in Ruhe!«

»Polina! Wir beide leben schon dreiundzwanzig Jahre zusammen und hatten noch nie... Wir hatten bisher immer die gleichen Ansichten. Was ist passiert, Polina?«

»Ich will nichts von Sidorow hören!«

»Versteh ich nicht! Nein, das will mir nicht in den Schädel: Was mißfällt dir denn an ihm? Mir persönlich flößt er Hoffnung und Zuversicht ein.«

»Mir nur Angst.«

»Warum?«

»Ich glaube nicht an ihn. Er kommt mir vor wie ein leerer Fleck.«

»Polina! Ungeheuerlich! Leerer Fleck! Selbst seine Gegner respektieren ihn. Die ganze Stadt summt wie ein Bienenstock, und du...«

»Die ganze Stadt, die ganze Stadt! Ich glaub eben nicht dran! Ich nicht!«

Adrian wurde es unheimlich – erst kürzlich hatte der Sohn gegen ihn aufgemuckt, jetzt tat es die Frau. Seine gute, sanftmütige Polina, mit der er im besten Einvernehmen dreiundzwanzig Jahre zusammengelebt hatte! Sidorow zu verteidigen, das war für Adrian kein einfaches Beharren auf seinen Prinzipien – die Familie zerfällt, Katastrophe! –, sondern eine Frage der Selbsterhaltung! So schrie er denn verzweifelt seine Frau an: »Zertrample nur meine Ansichten! Vernichte nur alles, was mir zeitlebens wichtig war! Zerstöre es! Mach dich lustig! Wende dich ab! Geh weg von mir! Ich bleibe allein, vergessen und verlassen, aber ich weiche nicht zurück! Auf keinen Fall!«

»Um Gottes willen, nicht doch!«

»Nicht doch? Schweigen soll ich? Wo ich in meinem eigenen Hause mißachtet werde? Von den liebsten Menschen! Dem Sohn! Und der Frau! Ich hab keinen Sohn mehr! Ich hab keine Frau mehr! Nur noch Feinde!«

»Beruhige dich, um Gottes willen! Ich sag ja kein Wort, nur erwähne ihn auch nicht. Bitte...«

»Da haben wir's! Schweigen soll ich! Erwähne ihn nicht! Unterdrück deine Ansichten! Versteck sie!«

Als der Familienkrach in vollem Gange war, erschien der Sohn. Nasse Zotteln hingen ihm ins Gesicht, das ebenfalls naß war, blaufleckig, grämlich. Als der Vater ihn sah, schrie er in neuer Wut:

»Da ist er, mein Feind! Jetzt auch du! Du! Ein ideologischer Gegner.«

»Um Gottes willen ...«

»Jagt mich doch weg! Schmeißt mich raus auf meine alten Tage!«

Der Sohn schwieg verdutzt. Er vergaß sogar, daß er eine üble Neuigkeit brachte: Er hatte Ärger im Institut, man hatte ihm angedroht, ihn auszuschließen, da er Unterschriften für die Petition gesammelt und sich für Iwan Lepota eingesetzt hatte. Alles wegen dieses Sidorow mit seinem Brief ...

Groß und allgegenwärtig ist der Geist Sidorows. Mein Haus ist meine Festung. Für Sidorow gab es keine Festungen.

....

Adrian ging eine Treppe tiefer zu seinem alten Bekannten Pepescha.

Es war noch früh, gleichwohl lag Pepescha im Bett, bis ans Kinn warm zugedeckt; er empfing den Gast mit haßerfülltem Blick.

»Da hast du deinen ... Da siehst du, wie alles zum besten steht«, stöhnte er. »Kannst deine Freude dran haben. Geh nicht auf die Straße, sag kein Wort, das Volk ist verwildert! Fast hätten sie mich zerrissen ... Der eine hatte mich schon an der Kehle ... Räubervisage ... die vergeß ich bis zu meinem Tode nicht!«

Pepescha berichtete, in die straff gespannte Decke winselnd, gallig von dem Überfall der Menge vor dem Gebäude des Jägerverbandes. Jeden Satz unterbrach er mit Rufen, bis zum Kehlkopfkrampf:

»Erschießen die Hundesöhne! Alle erschießen! Erschießen!«

Die Stadtväter erschießen, die Intelligenzler und Artikelschreiber erschießen, die verfetteten Kallistrats erschießen, die Miliz erschießen – Pepescha schien allein auf Gottes Welt bleiben zu wollen.

Adrian sah, daß Pepescha jetzt kein Partner war, bei dem waren sämtliche Sicherungen durchgebrannt. Aber der Mensch ist schwach, und Adrian empfand eine unwillkürliche Beruhigung: Nicht nur ihm ging's dreckig, auch anderen, und geteiltes Leid ist halbes Leid.

24

Das Arbeitszimmer, schmal wie ein abgehacktes Stück Korridor, durch dessen einziges Fenster die glatzköpfige Kathedralenkuppel hereinschaute. Es nieselte ein ununterbrochener Herbstregen, und die Passanten, die über das nasse Pflaster eilten, waren in wasserdichte Nylonpellen gehüllt. Scheinbar war alles wie eh und je, und vom Fenster aus hätte man meinen können, daß die Stadt Kitesh in Stille und Ruhe verharrte. Aber Samson Popjonkin wußte, der Schein trog, durch die Stadt wanderte der Geist des Lesers Sidorow, bewegte die Gemüter, veränderte Schicksale.

Samson Popjonkin war es, der den allmächtigen Geist geschaffen hatte. Nun hätte man denken sollen, daß Samson triumphierte, doch nein, er spürte ein juckendes Unbehagen. Der Dschinn war aus der Flasche gelassen, doch er hatte einen gar zu selbständigen Charakter. Wer weiß, was dem noch alles einfiel, womöglich brachte er noch seinen Befreier zu Fall, so daß nur ein nasser Fleck von ihm übrigblieb. Eine ungebändigte Kraft... Tja!

Samson Popjonkin lenkte die Redaktionsgeschäfte und zerbrach sich den Kopf, wie er den gar zu freiheitsdurstigen Dschinn zähmen könnte.

Draußen im Korridor klapperte ein Stock. Samson Popjonkin hob den Kopf und spitzte die Ohren, denn gar zu bekannt klang dieser Laut, den man in den Wänden der Redaktion ewig nicht gehört hatte.

Die Tür ging auf, und auf der Schwelle erschien Petrow-Raufbold mit der Physiognomie eines Feuerwehrgauls, der eben im Dampfbad geschwitzt hat. Lächelnd zeigte er seine großen Zähne.

»Grüß dich, Büroratte. Was macht die Kunst, wen mistest du an?«

Gute Stimmung war bei Petrow-Raufbold nie ein Zeichen von Wohlgeneigtheit. Samson Popjonkin war doppelt auf der Hut.

»Wessen Seele willst du holen, alter Beelzebub?« scherzte er. »Setz dich hin.«

Petrow-Raufbold ließ sich schwerfällig auf den Stuhl sinken und holte vollgetippte Blätter aus der Mappe.

»Da. Hähä! Schmiede das Eisen, solange es warm ist.«

»Ein neues Beilchen?«

»Eine Streitaxt, mein Lieber, eine scharfe Streitaxt, die ich zum Ruhm der Prinzipien des Genossen Sidorow erhebe.«

Das war zu erwarten gewesen. Groß war der Geist des Lesers Sidorow, die Freiwilligen mußten ihm ja zuströmen und jene wegstoßen, die nicht als erste vorgesprungen waren. Es gibt nichts Gefährlicheres, als wenn sich an einen allmächtigen Geist ein solcher Axtschläger hängt. Dann wird er übermütig, drischt nach rechts und links, Schädel krachen, Köpfe rollen – rette sich, wer kann! Und die Folge: Du hast den mächtigen Dschinn rausgelassen, doch benutzen wird ihn dieser erprobte Haudegen – zu seinem Ruhm, zu deinem Schaden. Nein, das darf nicht sein!

»Zeig mal her, was du da geschmiedet hast!«

Samson Popjonkin zog sich den Artikel heran und vertiefte sich ins Lesen.

In der Tat, die von Petrow-Raufbold geschmiedete Axt war diesmal schwer. Der Artikel begann nach der alten Tradition der Kitesher Literaturkritik mit einer Verurteilung Iwan Lepotas, doch dann wich er scharf vom ausgetretenen Pfad ab.

»Es gibt zwei Ansichten über die aktuelle Frage: die verantwortungslose Ansicht des Dichters Lepota und die weise, scharfsinnige Meinung des Lesers Sidorow. Zwei Meinungen, zwei Pole, zwei unversöhnlich einander gegenüberstehende

Lager, ein drittes gibt es nicht. Entweder – oder!«

Eine solch eindeutige Schlußfolgerung verlieh dem Autor das Recht, sich buchstäblich auf alle literarischen Funktionäre der Stadt Kitesh zu stürzen, nur weil sie schwiegen. Es schwieg Arssenti Kawytschko, es schwieg Boris Tschur... Und dann stellte der grimmige Autor pathetisch die Frage: »Mit wem seid ihr, Meister der Kitesher Kultur?«

Und da die Meister in diesem Moment begreiflicherweise nicht antworten konnten, fiel die scharfe Streitaxt auf sie nieder: »Nur zwei Lager, zwei Pole, ein dritter wäre widernatürlich! Wer nicht mit uns ist, ist unser Feind!«

Samson Popjonkin richtete sich über dem dräuenden Artikel auf.

Petrow-Raufbold preßte den gewichtigen Stock zwischen die Knie, er riß den Mund von Ohr zu Ohr auf und zeigte ein gelbzähniges starres Lächeln à la »fröhlicher Rogers«.

»Na, wie ist er, du Nagetier?«

»Klasse! Sieben auf einen Streich.«

»Ab damit in den Satz.«

»Das liegt nicht in meiner Macht, du tapferes Schneiderlein. Solche Fragen behält er sich jetzt selber vor.«

»Schlag keinen Haken vor einem alten Fuchs, Häschen. Als ob ich nicht wüßte, daß er so bellt, wie du ihm die Stimme einstellst. Oder willst du dich vielleicht mit mir anlegen? Das laß lieber bleiben. Ich, du Nagetier, ich zieh jetzt am gleichen Strang wie Genosse Sidorow.«

Samson Popjonkin sah sich von Sidorow bedroht. Petrow-Raufbold betrachtete den mächtigen Geist schon als sein Eigentum.

Samson Popjonkin zuckte nicht mit der Wimper.

»Nein, Schneiderlein, diesmal sollten wir beide die Rangliste beachten. Ich sage nicht eher ein lobendes Wort über dich, als bis ich darum gebeten werde.«

»Ich bin also umsonst zu dir gekommen?«

»Ich habe mich gefreut, einen alten Ritter in Kampfrüstung zu sehen.«

Petrow-Raufbold harfte das Manuskript zu sich zurück und stand auf.

»Ich dachte, wir könnten uns unter vier Augen einigen.«

Sein Stock klapperte zum Ausgang.

Kaum hatte er die Tür hinter sich geschlossen, kaum hatte der klappernde Stock den ersten Schritt durch den Korridor angezeigt, da nahm Samson Popjonkin flink den Hörer ab.

»Ilja Makarowitsch, gleich erscheint Petrow-Raufbold bei Ihnen. Sehr gefährlich! Er wollte sich über Ihren Kopf hinweg mit mir einigen. Sobald Sie ihn draußen haben, rufen Sie an, dann komm ich sofort.«

Samson Popjonkin legte den Hörer auf, lehnte sich auf dem Stuhl zurück und wartete geduldig, bis vor der Tür wieder der Stock vorbeiklapperte und der Chefredakteur ihn zu sich rief.

Sieh an, sieh an, Petrow-Raufbold bedient sich Sidorows. Ein freier Geist konnte zum Sklaven dieses groben und keineswegs zimperlichen Mannes werden. Nimm dich in acht, Samson, deine eigene Schöpfung macht Miene, dich zu zertrampeln.

Dieser Petrow-Raufbold war eigentlich ein Pechvogel. Gar zu gewaltig schlug er drein, gar zu sichtbarlich drängte die Kraft der Schwarzerdescholle aus ihm heraus – sieh dich vor, ich mach dich fertig! –, darum war es für jedermann ein Gebot des gesunden Menschenverstandes, sich vor ihm zu hüten. Um Petrow-Raufbold machte man stets einen respektvollen Bogen, man erwies ihm kein sonderliches Vertrauen, stellte ihn nicht in Leitungsfunktionen, wählte ihn nicht in Ehrenkommissionen. Nur ein Tätigkeitsfeld wurde ihm überlassen – nach Haudegenmanier mit Iwan Lepota abzurechnen, der überstand's schon, der war Kummer gewöhnt. Aber was war Lepota für einen so kühnen Kämpen schon für ein Gegner? Die unverausgabten Kräfte blieben in Reserve. Jetzt konnten sie nach außen durchbrechen. Und sie würden sich verhundertfachen durch die Macht des gezähmten Geistes. Das Blut gefror einem in den Adern allein bei dem Gedanken, Petrow-Raufbold könnte Herr der Situation werden. Unwillkürlich fühlte man sich schon vorher als kläglicher Pygmäe.

Samson Popjonkin saß da und wartete auf das Klappern des Stocks vor der Tür. Es waren Minuten voller Verantwortung – von ihnen hing das Schicksal vieler angesehener Bürger der Stadt Kitesh ab.

Endlich kam der Stock den Korridor entlanggeklappert, doch das Klappern ging nicht vorüber, sondern brach ab, die Tür wurde heftig aufgestoßen, und Petrow-Raufbold trug sein Lächeln des fröhlichen Rogers herein.

»Hör zu, Nagetier, wir haben uns über alles geeinigt.«

»Ausgezeichnet.«

»Wenn aber Kryschew plötzlich einen Haken schlägt, dann werde ich annehmen, daß du daran gedreht hast, merk dir das. Ein anderer kommt nicht in Frage. Dann bist du mein Feind fürs Leben, dann reib ich dich bei der ersten Gelegenheit zu Pulver. Denk daran!«

Samson Popjonkin kam nicht dazu zu antworten – die Tür schrammte zu, der Stock klapperte zum Ausgang.

Das Klingeln des Telefons weckte Popjonkin aus dem Vergessen.

25

»Sag doch mal selber, was hätte ich ihm antworten können? Er wollte seinen Artikel gleich nach oben bringen. Wollte ihn vorzeigen, sich beschweren, daß Kryschew ihn unterdrückt. Dabei steht Kryschew schon selber unter Beschuß... Und dann unterdrückt er erklärte Anhänger von Sidorow! Nein, darauf laß ich mich lieber nicht ein.«

Die Röte in Kryschews Mondgesicht verfahlte, unter den Augen saßen traurige blaue Ringe, er verzog mürrisch das Gesicht und mied den Blick seines verantwortlichen Sekretärs.

»Hol ihn der Teufel, wir kaufen uns los und drucken den Artikel. Schließlich hat er nicht dich und mich im Auge. Kawytschko und Tschur, die sollen sich von mir aus kratzen.«

Samson Popjonkin trommelte mit den Fingern auf das grüne Tuch.

»Nein, Ilja Makarowitsch, Kawytschko und Tschur, mit denen können wir uns nicht loskaufen«, sagte er leise. »Die braucht er, um sie unter die Füße zu kriegen und höher zu steigen. Was für einen Nutzen soll er sonst von denen haben, sagen Sie mal selbst.«

»Wen will er dann?« fragte Kryschew mit erloschener Stimme.

»Sie!«

»Jag mir keinen Schreck ein! Mach mir keine Angst! Was soll das ...«

»Wenn er Kawytschko und Tschur erledigt, was bleibt dann? Gar nichts. Die sitzen nicht auf hohen Stühlen. Wenn es ihm aber gelingt, Sie runterzustoßen ... Nach Ihnen bleibt ein freier Stuhl, der da, auf dem Sie sitzen.«

»Hast du's nicht ein bißchen kleiner, Freundchen? Ohne Drumrumgerede?«

»Ich bitte um Verzeihung. Reden wir Klartext.«

»Als ob man diesem Pogromhelden meinen Stuhl unterschieben würde.«

»Er rechnet ja nicht, daß man ihn ihm unterschiebt – mit Gewalt will er draufklettern.«

»Und sich diese Verantwortung, all die Sorgen aufladen? Wozu? So ist er ein freier Kosak.«

»Welcher Kosak träumt nicht davon, Ataman zu werden? Und Chefredakteur einer Zeitung, das ist ein Atamansposten.«

»Aber wie soll er das machen, will er mich am Kragen runterzerren? Kaum, man würde ihm auf die Finger klopfen.«

»Sie vergessen das alte Märchen vom Fuchs, dem man erlaubt hat, auf der Schwelle zu übernachten, und er springt von der Schwelle auf die Bank und von der Bank auf den Ofen. Heute weist er darauf hin, daß Kawytschko und Tschur zu denen gehören, die nicht mit uns sind. Morgen verweist er auf Sie. Der alte Fuchs schläft und träumt vom warmen Ofen. Nehmen Sie sich in acht!«

»Du! Du!« Kryschews Stimme schlug plötzlich in argwöhnisches Altfrauengekeif um. »Du machst dir Sorgen um mein Wohlergehen, Freundchen? Warum solltest du?«

Samson Popjonkin lachte auf.

»Ich denke an mich. An meine Sicherheit.«

»Kann es dir nicht schnuppe sein, wer auf meinem Stuhl sitzt?«

»Vergleichen Sie doch mal sich mit Petrow-Raufbold. Was meinen Sie, mit wem ich ein besseres Arbeiten habe?«

»Hm...«

»Petrow-Raufbold würde mich als Stiefelputzer benutzen.«

»Hm.«

»Ich habe Angst vor seiner Grobheit, und er scheint mein Arbeitstempo zu fürchten.«

»Aber was sollen wir machen, lieber Samson Jakowlewitsch?«

»Geben Sie ihm den Artikel zurück.«

»Dann läuft er sich beschweren. Er macht einen Elefanten aus der Mücke, und schon kommt man nicht mehr klar.«

»Suchen Sie sich aus, was schlimmer ist: seine Beschwerden oder die Bank, von der er auf Ihren Ofen springt.«

»Aber er kann überall ausposaunen, daß ich den Artikel von Lepota freigegeben habe!«

»Einstweilen ist er nichts als ein alter Pechvogel, und man wird nicht besonders hören auf das, was er sagt. Wenn es ihm aber gelingt, Kawytschko und Tschur zu erledigen, ist er kein Pechvogel mehr, sondern der erste Mann unter den Kitesher Schreibern, und dann muß man auf ihn hören, ob man will oder nicht. Sie können sich aussuchen: Soll er sich heute über Sie beschweren oder später?«

»Tja... Du hast recht, Samson Jakowlewitsch: Heute würde das ohne Wirkung bleiben.«

»Heute müßte er betteln, morgen könnte er fordern.«

»Du hast recht. Ich gebe ihm den Artikel zurück. Es hat keinen Sinn, ungesunde Leidenschaften anzufachen. Und warum sollen wir eigentlich mit Hilfe eines übereifrigen Autors bekannte Literaten auf den Kopf hauen? Kawytschko ist Doktor der Philologie, Professor! Das ist doch schließlich, Verzeihung, kein Hammelfurz!«

Kryschew heizte sich allmählich zu solcher Glut auf, daß an seiner Entschlossenheit nicht mehr zu zweifeln war.

Petrow-Raufbold würde schäumen – nun war doch der Haken geschlagen! Und natürlich würde er in Samson Popjonkin seinen schlimmsten Feind sehen. Und natürlich mußte man frieren allein bei dem Gedanken, einen solchen Todfeind neben sich zu haben! Aber Feiglinge spielen keine Karten, und wir wollen doch mal sehen, ob dein Huf so fürchterlich ist, alter Pegasus; wir haben selber Zähne und können um uns beißen.

Samson Popjonkin hatte keine andere Wahl, als die Herausforderung anzunehmen, und er nahm sie an, ohne mit der Wimper zu zucken. Worauf es ankam – dem aus der Flasche befreiten Dschinn keine Macht über sich einzuräumen. Immerhin hatte nicht Petrow-Raufbold, sondern er, Samson Popjonkin, den Geist gezeugt.

Auf in den Kampf!

26

In der Nacht fiel der erste Schnee auf die Stadt Kitesh. Der Schnee hüllte die Bäume in Klöppelspitzen. Schnee lag auf den Schultern der alten Kirche. Durch den Schnee trippelten Tauben. Der Schnee machte ihnen nichts aus.

Schnee lag auf den Häusersimsen. Die Häuser hatten sich gegürtet und sahen besorgt und entschlossen drein. Pilgern gleich, rüsteten sie zu weiter Reise, sie standen da und warteten, daß einer rief: »Auf geht's!«

Die alte Stadt im jungfräulichen Schnee.

Samson Popjonkin stand nach unruhigem Schlaf übellaunig auf und fühlte, wie er schmolz. Eine ungewohnte Schwäche bemächtigte sich seiner, und sonderbare Gedanken zogen ihm durch den Sinn.

Da gehst du nun durch den weichen Pulverschnee, der noch nicht zu knirschen gelernt hat, und trägst in dir, geballt wie eine Boxerfaust, den entschiedenen Wunsch, Petrow-Raufbold ein Bein zu stellen, damit er so hinstürzt, daß seine alten Knochen krachen. Er muß stürzen, weil sonst du stürzt. Du hast dich immer gegen jemanden verteidigt, immer jemanden angegriffen – hast gekämpft. »Das ganze Leben ist doch nichts als Kampf!« Daran hast du heilig geglaubt, darauf warst du stolz.

Die Stadt im ersten Schnee, gewohnt, anödend, manchmal sogar zuwider, aber doch deine Heimatstadt, du liebst sie ja, manchmal so wie jetzt mit stiller Taubenzärtlichkeit, manchmal stöhnend, fluchend, unter Schmerzen! Wie wunderschön ist sie manchmal, deine Stadt! Eine alte Stadt im jungfräulichen Schnee. Sonderbare Gedanken flüstert sie dir ein.

»Das ganze Leben ist doch nichts als Kampf.« Aber zeigt das nicht, wie falsch das Leben eingerichtet ist? Anstatt freundschaftlich, Schulter an Schulter, ans Werk zu gehen: »Dann wollen wir mal«, mußt du dich andauernd umsehen, mußt andauernd Maß nehmen, wen du über den Schädel haust. Daran ist doch wirklich wenig Gutes.

Schnee auf den Simsen – die Häuser tragen einen Gürtel aus Schnee. Frischer Schnee, frische Gedanken. Aber sind das Gedanken? Eher doch glückliche Träume. Du möchtest naiv daran glauben, daß du plötzlich die Antwort findest auf die ewige zweifelnde Frage: Was ist Wahrheit? Da, da, schon scheint sie zum Greifen nahe, die Antwort – lange hin und nimm sie dir! Du verteidigst das Deine um den Preis eines fremden Schädels, du bestehst darauf, im Recht zu sein. Schlägst du den fremden Schädel nicht, so kannst du es nicht beweisen. Und du hast oft geschlagen, andere haben dich geschlagen, du hast gelitten unter Kränkungen und andere gekränkt, du hast hektisch und unsauber gelebt. Wie schön wär's, diesen ganzen Alltagsmüll von sich abzuschütteln und etwas ganz Einfaches zu begreifen – ein geschlagener Schädel kann nur Schmerz empfinden, er ist nicht mal imstande, den schlichtesten Gedanken hervorzubringen, ohne Grimm und ohne Haß, geschweige denn, die Wahrheit zu finden. Und ließe sich überhaupt eine wichtigere Wahrheit finden als diese: Leute, es steht nicht dafür, einander die Köpfe einzuschlagen, laßt sie heil!

Samson Popjonkin betrat die Alte Brücke, die gleichfalls mit Schnee bestäubt war. Frischer Glitzerschnee bedeckte auch die Ufer, die gestern noch durch ihre Schmuddligkeit bedrückt hatten. Nur das Flüßchen Kershawka zeigte mürrisches Schwarz. Das Flüßchen floß, in der Stadt brodelten die Leidenschaften. Doch seltsam, alle hatten das geschändete Flüßchen vergessen. Wer hatte schon, während gekämpft wurde, Bedarf, sich an das liebe Wasser zu erinnern? Die Kershawka war eines, die Leidenschaft ein anderes.

Das schwarze Wasser zwischen den blendendweißen Ufern ernüchterte Samson Popjonkin. Süß ist es, von der Gerechtigkeit zu träumen, die Seele erschlaffen zu lassen, aber solch ein Erschlaffter, von Edelmut Berauschter wird leicht zu Boden geworfen. Heute wird er auf die schäumende Wut des geprellten Petrow-Raufbold stoßen. Sein ganzes Leben lang, nachgerade seit dem Knabenalter bis hin zum Grauhaar, hat der erste Haudegen der Kitesher Presse danach gegiert, einen Hügel zu erstürmen, von dessen Höhe – ach, tob dich aus, Seele, reckt euch, Schultern! – es bequemer wäre, auf die Köpfe einzudreschen, die weiter unten stehen. Sein Leben lang ist er in diese Richtung gestürmt und hat ihn fast erstürmt, den Hügel, aber Samson Popjonkin hat ihn am Fuß erwischt und festgehalten. Der alte Haudegen dürstet nach Blut, nach deinem Blut, du Träumer mit der schönen Seele! Besinn dich, schüttle den Rausch ab, nimm deinen Willen fest in die Faust, die Erde brennt dir unter den Füßen! »Das ganze Leben ist doch nichts als Kampf!« Davor schien es kein Entrinnen zu geben.

Samson Popjonkin riß den Blick los von dem schwarzen entehrten Flüßchen, straffte die Schultern und ging mit knallenden Schritten zur Redaktion. Schon sah er nicht mehr den jungen Schnee, schon nahm er nicht mehr die verjüngte Stadt wahr – nur noch die Gefahr vor sich sah er, nur noch den gefährlichen, blutdürstigen Feind. Samson Popjonkin verließ die Brücke, der Träumer in ihm starb, »den Tod durch den Tod überwunden«, der Kämpfer war geboren.

27

Wenn doch an diesem hellen Morgen auch in Ilja Kryschew ein solcher Kämpfer geboren worden wäre! Doch wehe, wehe! Ilja Kryschew, der in seitlich-scheuem Trippelgang über die sündige Erde schnürte, war für Reisigentaten nicht geschaffen.

Er hatte panische Angst, Petrow-Raufbold könnte mit dem abgelehnten Artikel zu den entsprechenden Instanzen eilen, doch soweit kam es gar nicht. Petrow-Raufbold kam mit seinen eigenen Kräften zurecht.

Der alte Haudegen erschien gleich morgens, setzte sich ungebeten auf den Stuhl und nahm seine gewohnte monumentale Pose des Gauls ein, der im römischen Senat thront. Mit grober Direktheit fragte er: »Hast du nicht gerade eben erst geschworen, bei Gott beteuert, an alle apelliert – handelt so, wie es der Genosse Sidorow lehrt, nach seinen Hinweisen?«

»Ich unterstütze auch jetzt noch die Position des Genossen Sidorow – vollständig und unbeugsam.«

»Vollständig und unbeugsam... Und was ist das?« Petrow-Raufbold schüttelte das unglückselige Manuskript. »Bist du für Lepota oder für Sidorow?«

»Du hast Überspitzungen drin, Überspitzungen.«

»Vollständig und unbeugsam, aber nicht zu schlimm, habt Mitleid mit Lepota! ›Wer nicht mit uns ist, ist unser Feind!‹ Das sollen Überspitzungen sein? Hä?«

»Du schreibst dort gegen Kawytschko, gegen Tschur – und warum? Nur weil sie vorerst schweigen.«

»Sie schweigen, sie unterstützen uns nicht – ist das etwa nicht verurteilungswürdig? Da bist du viel mutiger – du schweigst nicht, du handelst! Allerdings gegen die nüchternen Argumente von Sidorow! Heimlich natürlich, von hinten herum, laut aber schreist du, daß es durch die Stadt schallt – vollständig, unbeugsam!«

Kryschew versuchte es mit Entrüstung und sprach einen Ton höher: »Was sind das für grundlose Vorwürfe, mein lieber Genosse Petrow-Raufbold? Wann und wo war ich gegen Sidorow?«

»Ha!« rief Petrow-Raufbold, von Herzen verwundert. »Hast du nicht das Vögelchen Lepota ins Publikum fliegen lassen? Und wer will es jetzt retten? Nicht du? Linie! Stell dich nicht wie ein Säugling und halt andere nicht für blöd!«

Chefredakteur Kryschew sah sich an die Wand gedrängt. Petrow-Raufbold litt nicht unter Großmut; wenn er einen an die Wand gedrückt hatte, gab er ihm gewöhnlich erbarmungslos den Rest.

»Also sag mir, was hast du getan, um Sidorow zu helfen? Womit hast du ihn unterstützt?«

Schweigen.

»Du hast nichts zu sagen. Also, wieso sträubst du dich noch?«

Schweigen.

»Bist du in meiner Hand oder nicht? Hä?«

Schweigen.

»Hier hab ich dich, mein Lieber!« Petrow-Raufbold zeigte anschaulich seine knochigen roten Pranken und ballte sie zu Fäusten. »Bild dir nicht ein, daß ich dich wieder rauslasse.«

Bedrücktes Schweigen.

»Kawytschko und Tschur nimmst du in Schutz – wunderbar! Vielleicht will ich das grade. Du entlarvst dich selbst.«

Petrow-Raufbold ließ seinen gewichtigen Stock auf den Fußboden knallen und richtete sich zu seiner ganzen eindrucksvollen Größe auf.

»Leb wohl. Und merk dir, Sidorow, dem können auch größere Vögel als du nicht ans Leder.«

»Hör mal, Wassili Spiridonowitsch ...«

»Was ist? Willst du mir ein Geschäft anbieten – gib mir den Artikel und schweig? Hä?«

»Sei doch nicht so stur, Wassili Spiridonowitsch.«

»Doch, mein Guter, ich bin stur! Ich wedle nicht gern mit dem Schwanz. Und jetzt sag ich dir offen: den Artikel nehm ich mit, und so ohne weiteres kriegst du ihn nicht wieder, nur mit Draufgeld!«

»Was ist das für ein Gefeilsche, Wassili Spiridonowitsch, es reicht...«

»Ich weiß doch, wer dich aufhetzt: diese Zeitungsratte, dein Popjonkin. Wie der dich Ärmsten an der Nase herumgeführt hat... Dich kann man ja mit bloßen Händen greifen.«

Über Kryschews verwirrtes, gutmütiges Gesicht zog ein Schatten. Petrow-Raufbold hatte ihn mitten ins Herz getroffen. Wirklich war ja an allem der verantwortliche Sekretär schuld – der hatte ihm den Lepota-Artikel untergejubelt, der hatte den Leserbrief von Sidorow ausgegraben und veröffentlicht, der hatte ihn, Ilja Kryschew, gegen diesen Pogromhelden vorgeschickt. Nun steckte er in der Klemme, wirklich wahr!

»Du magst recht haben... Er hat allerlei Verwirrung gestiftet, das will ich nicht leugnen.«

»Na also – nimm den Artikel und laß uns überlegen, wie wir die Ratte einquetschen, damit sie nicht noch mehr Verwirrung stiftet, bei dir nicht und bei mir nicht und auch sonst bei keinem. Ein für allemal!«

Petrow-Raufbold setzte sich wieder hin.

Samson Popjonkin saß wie immer in seinem schmalen Arbeitszimmer und erledigte laufende Dinge. Er wußte, daß Petrow-Raufbold sich jetzt mit dem Chef auseinandersetzte, und er argwöhnte, daß der gute Ilja Kryschew nicht genug Charakter besaß, um dem Druck standzuhalten. Es war keineswegs auszuschließen, daß er in Panik die Hände hob, Positionen preisgab. Aber Samson Popjonkin rechnete fest damit, daß Kryschew ihn sofort zu sich rufen würde, sobald sich der alte Haudegen zu seinen Penaten entfernt hatte. Natürlich würde es Klagen und Stöhnen geben, auch Vorwürfe, sogar Drohungen – es war nicht das erstemal. Samson Popjonkin glaubte an seine

Kräfte, irgendwie würde er schon ... Gar zu deutlich drohte die Gefahr für Kryschew von seiten des zur Macht drängenden Petrow-Raufbold. Samson Popjonkin kurbelte das Rad des Redaktionslebens und wartete geduldig.

Endlich polterte der Stock den Korridor entlang, der ungemütliche Gast marschierte zum Ausgang. Samson Popjonkin wartete.

Das Telefon auf dem Schreibtisch klingelte mehrmals, doch es waren die Abteilungen – Fahnenlesen, Kollationieren, Vorauskorrekturen, Kürzungen, das Übliche.

Samson Popjonkin wartete.

Wieder läutete das Telefon. Nein, es war nicht der Chef – es war Sonja, seine Sekretärin.

»Samson Jakowlewitsch, der Chef hat für jetzt gleich eine dringende Beratung angesetzt.«

Und da begriff der sonst so hellsichtige Samson Popjonkin mit Verspätung, daß Petrow-Raufbold gesiegt hatte und die Abrechnung bevorstand.

28

Mit Versammlungen werden Feiertage begangen, Versammlungen füllen den Alltag.

Wie immer hatten alle ihre Plätze eingenommen – die Abteilungsleiter als eng gescharte Kohorte vorn beim Chef, die übrigen in arnarchischer Unordnung.

Petrow-Raufbold selbst hatte sich entfernt, um keinen in Verlegenheit zu bringen und nicht zu stören. Er hatte sich entfernt, also war er sicher, daß die Abrechnung stattfand.

Ilja Kryschew erhob sich hinter dem grünen Gefilde seines Schreibtischs – die Stirn von einer Falte zerschnitten, die Augen ohne Glanz, die Schultern gereckt, Brust heraus. Seine Stimme war bemüht ruhig, doch voller Gefühl; mit solcher Stimme spricht man die Abschiedsworte für einen heimgegangenen Genossen.

Die Rede begann wie üblich mit einer allgemeinen Einleitung: »Wir müssen auf die Stimme der Massen hören ... Die Wünsche und Anliegen des breiten Lesers ... Der tiefschürfende, markante Leserbrief des Genossen Sidorow, der uns bewegt und beflügelt ... Wer nicht mit dem Genossen Sidorow ist, der ist gegen die Massen ... Unser ganzes gesundes Kollektiv solidarisiert sich vollständig ... Aber, Genossen!«

Die Einleitung war beendet, anstelle des Grabestons trat schepperndes Blech, das in Kryschews Stimme das Trauerblasen ablöste: »Seid wachsam, der Feind ist überall!«

»Aber, Genossen! Sind wir alle solidarisch? Sehen wir doch mal genauer hin! Hier vor mir liegt das Manuskript eines Artikels, in dem es heißt, daß selbst das Verschweigen der Ansichten des Genossen Sidorow schon ein feindseliger Akt ist. Ist das richtig oder nicht? frage ich euch. Sogar das Verschweigen!«

Durch den Raum ging etwas wie ein beifälliges Brummen, beredt genug, um als Antwort zu gelten. Und nun wandte sich Ilja Kryschew voll Samson Popjonkin zu: »Nun, und was meinst du, Samson Jakowlewitsch?«

Nein, der seitliche Trippelgang war nicht der einzige Vorzug des Chefredakteurs, er konnte einen bei Gelegenheit auch in die Enge treiben. Die Frage war hingeworfen, Dutzende von Augen bohrten sich in Popjonkins Gesicht, Dutzende von Ohren warteten auf Antwort. Und man mußte schon ein Selbstmörder sein, um zu antworten: »Nein, das ist nicht richtig!« Gegen die allgemeine Meinung, einer gegen alle! Man mußte gehorsam bejahen. Genau das erwartete Kryschew jetzt von ihm, hier hatte er seine Falle aufgestellt, anspruchslos genug, aber sicher funktionierend. Popjonkin sah, wie gefährlich sie war – tödlich gefährlich! –, trotzdem steckte er den Kopf hinein.

»Samson Jakowlewitsch, wir warten auf Antwort!«

Und Samson Popjonkin antwortete:

»Ja.«

Die Falle schnappte zu. Chefredakteur Kryschew ging daran,

den gefangenen Samson Popjonkin auszuweiden.

»Warum hast du dann ... mir zugesetzt: Unterdrücke diesen richtigen Artikel, verstopfe Petrow-Raufbold das Maul, der aus vollem Halse den Genossen Sidorow rühmt?«

Samson Popjonkin machte einen Versuch, sich zu verteidigen: »Ich ein Gegner von Sidorow? Ich bitte Sie! Habe nicht ich seinem Brief den Weg gebahnt?«

»Und wer hat dem Lepota-Artikel den Weg gebahnt?«

»Sie selbst haben ihn in Druck gegeben, Ilja Makarowitsch.«

Oh, wer in der Falle sitzt, sollte lieber nicht die Zähne zeigen.

Mit blechernem Knirschen in der Stimme fiel Kryschew über Samson Popjonkin her: »Und wer hat mir diese Unterschrift entlockt? Durch List? Ich gebe zu, ich war nicht bis zuletzt wachsam! Ich gebe zu, ich habe dich damals nicht durchschaut! Vorgestern hast du Lepota den Weg gebahnt, gestern Sidorow, und heute willst du ehrliche Anhänger von Sidorow abwürgen. Und was unternimmst du morgen? Morgen wirst du in aller Stille nach dem Genossen Sidorow selbst schnappen. Jawohl, du, die Maus, nach dem Elefanten! Daraus wird nichts! Das werden wir verhindern! Wir werden dich entlarven! Zerquetschen! Wegwischen! Eine Maus, so winzig sie ist, kann großen Schaden anrichten!«

Der Chefredakteur weidete Samson Popjonkin aus.

Samson Popjonkin ließ schweigend den Kopf hängen. Die Zähne zeigen, woher denn. Jedes Wort, jede Geste von ihm würde jetzt als Angriff ausgelegt werden – nein, nicht gegen den Chefredakteur Kryschew, nicht gegen Petrow-Raufbold, sondern gegen den unsichtbaren Geist Sidorows. Der Geist kehrte sich gegen seinen Schöpfer! Samson Popjonkin blieb nichts anderes übrig, als in Gedanken zu wehklagen: Ach, hätt ich das gewußt! Ein für die Welt unhörbares Stöhnen. Quetscht ihn ein! Hätt ich gewußt, wo ich falle, ich hätte Stroh untergelegt! Es war das uralte Stöhnen mangelnder menschlicher Voraussicht.

Samson Popjonkin ließ den Kopf hängen, und Ilja Kryschew peitschte rauschhaft, schweißgebadet auf ihn ein. Und er wußte – er mußte es wissen: Jedes peitschende Wort war ein

Schritt zum eigenen Untergang! Er beerdigte Popjonkin, er infundierte durchschlagende Kräfte in Petrow-Raufbold, und dann stand er diesem Haudegen Mann gegen Mann gegenüber. Er wußte es und peitschte dennoch, er war nicht frei, er gehörte nicht mehr sich selbst.

Der große Geist kommandierte Schicksale.

29

Abend. Die Brücke. Drunten raunt das Flüßchen. Das vergessene Flüßchen ...

Samson Popjonkin steht einsam auf der Brücke.

Ist es lange her, daß er hier auf den Gedanken kam, Macht gegen Macht zu setzen, die Stadt auf die Beine zu bringen? Und er hat es getan! Jetzt braucht er nicht mehr Hellseher zu sein, um einen Blick in seine nächste Zukunft zu tun. Gut noch, wenn es mit einer »Kündigung auf eigenen Wunsch« abgeht.

> Schwierigkeiten sind nicht schlimm,
> das Leben brennt wie Sprit ...

Was geht eigentlich vor? Womit kriegt ihn dieser unehelich geborene Typ?

Beiße dir die Zunge ab, Ketzer! Wage nicht einmal in Gedanken, ihn zu schmähen. Groß ist der Geist des Lesers Sidorow und ruhmreich!

Die Menschen glauben naiv, daß sie von anderen Menschen beherrscht werden, die erfolgreicher, entschlossener und talentierter sind. Albernheit! Beherrscht werden sie von Geistern, die sie selbst geschaffen haben.

Hat Christus überhaupt gelebt? Nehmen wir mal an, er hat, dann war er gewiß ein gewöhnlicher Mensch, schwächer als viele. Ein Wanderbettler, der Einfaltspinseln lange Reden hielt und nicht einmal sich selbst schützen konnte. Und es kostete keine Mühe, ihn zu ergreifen, ihn ohne Gericht, ohne sonderliche Gewissensbisse hinzurichten, so wie man Sklaven hinrichtete und sonstiges Geschmeiß. Angesehene Leute wurden nicht gekreuzigt.

Das häßliche Leben mit seiner Feindschaft, seinem Ingrimm, dem nirgends zu entgehen war, zwang die Menschen dazu, den Wanderbettler zu rühmen. »Über ein Hirngespinst vergieß ich Tränen.« Ein Hirngespinst ist eine Macht! Es schafft die allmächtigen Geister.

Der Mensch Christus starb schmählich am Kreuz, doch der Geist, der sich seinen Namen aneignete, begann ein tausendjähriges Leben. Die mächtigsten Könige fielen vor ihm auf die Knie, flehten demütig um Hilfe und Vergebung. Bettler und Könige wurden gleichermaßen zu Sklaven des Geistes Christi. Wer auch nur im leisesten an seiner Macht zu zweifeln wagte, wurde im Feuer geröstet. Die Diener des Geistes hatten größten Erfolg, wurden selber zu Herren. Dichter priesen ihn in Versen, Armeen vergossen in seinem Namen Ströme von Blut. Geister beherrschen die Menschen, ihre Macht ist fürchterlich, manchmal grenzenlos.

»Über ein Hirngespinst vergieß ich Tränen.« Samson Popjonkin hatte den Geist des Lesers Sidorow gesponnen, nun war die Zeit da, Tränen zu vergießen.

Aber warum hat der Geist sich als Opfer ausgerechnet seinen Schöpfer ausgesucht und nicht irgendeinen anderen, der sich von der Seite her an ihn ranschmeißt? Zum Beispiel diesen Petrow-Raufbold.

Vielleicht weil der Geist des Lesers Sidorow seinen Schöpfer fürchtet? »Ich habe ihn gezeugt, ich bring ihn um!« Diese Worte sind schon so manches Mal in der Geschichte erklungen, und niemand hat sie als unmoralisch empfunden.

Der Geist hat Angst. Er ist wohl noch nicht stark genug, noch beugen nicht alle in der Stadt vor ihm die Knie. Wenn einen Entschluß fassen, dann jetzt, unverzüglich, solange er, der Geist, noch nicht ganz eingefleischt ist.

Beiße dir die Zunge ab, Ketzer! Wage es nicht einmal in Gedanken! Groß ist der Geist und ruhmreich!

Aber dieser große Geist ist das Werk deines Verstandes, deiner Fertigkeit. Ein Schöpfer kann doch nicht kleiner sein als sein Geschöpf!

Außerdem wurmt es einen – die ureigene Schöpfung entzieht sich dem Gehorsam.

Du hast nichts mehr zu verlieren: du hängst wie eine Spinne im Zugwind – gleich reißt der Faden.

»Ich habe ihn gezeugt, ich bring ihn um!« Für einen Moment verschlägt es ihm den Atem. Samson Popjonkin war noch nie ein Mörder.

Nacht. Die Alte Brücke überm raunenden Flüßchen. Samson Popjonkin steht einsam auf der Brücke. Und in ihm reift ein Komplott.

Noch nie war er ein Mörder ...

Aber hat denn je ein Mensch die Hand wider einen Geist erhoben? Hinter Geistern steht der Ruhm – sie sind unsterblich!

Wirklich? Alles, was geschaffen wird, muß früher oder später sterben!

In ihm reift das Komplott. Nacht. Die Alte Brücke über dem in der Dunkelheit raunenden, von der Stadt vergessenen, entehrten Flüßchen.

30

Zur selben Zeit war unweit der Brücke, in einem Haus an der Uferstraße, ein Mann ehrwürdigen Alters mit unbefleckter Biographie just beschäftigt, Komplotte aufzudecken.

Der wackere Adrian Kukuschew empfand trotz allem Mitleid mit seinem Freund Pepescha – der hatte gelitten für seine Ansichten, seine Prinzipien. Das Mitleid war überflüssig.

Man sagt, der heilige Eiferer Feodossi vom Kiewer Höhlenkloster habe dazumal gelegentlich seine Klause verlassen, sich an die Landstraße begeben, die Vorübergehenden wegen mangelnden Glaubenseifers mit wüsten Schmähreden überhäuft und ungeduldig gewartet, daß wenigstens einer die Schmähungen nicht aushielt und ihm ein paar ins Genick haute, was bedeutet hätte, daß der heilige Feodossi gewürdigt wurde, ein übriges Mal für seinen Glauben zu leiden.

Pepescha war gleichfalls ein heiliger Eiferer. Für ihn wie für den unvergeßlichen Feodossi war es eine Art Auszeichnung, eins ins Genick zu kriegen.

Man kann nicht sagen, daß er, Pepescha, voll gewürdigt worden wäre – er hatte keins ins Genick gekriegt, man hatte ihm nur den Hut vom Kopf gestoßen. Aber auch das flößte frische Kräfte ein, wendete das Leben, öffnete sozusagen neue Horizonte.

Anfangs litt er bitterlich, legte sich sogar hin vor Betrübnis, warf sich im Bett hin und her, rief leidenschaftlich auf: »Erschießen! Alle erschießen!« Dann plötzlich spürte er verschwommen den Wunsch zu handeln. Auf die Straße gehen und seinen sehnlichsten Wunsch – »erschießen, alle erschießen!« – verwirklichen konnte er natürlich nicht, überdies hatte er nie im Leben eine Waffe in der Hand gehabt, mit Ausnahme seines Füllhalters. Aber die in Qual und Stöhnen gesammelte Energieladung drängte zum Handeln.

Und Pepescha stürzte sich in den Kampf; seine Finger, die nicht mehr in Übung waren, griffen zum Füllhalter.

Nein, trotz all seinem heiligen Eifer glaubte Pepescha nicht an die Macht des Wortes. »Im Anfang war das Wort, und das Wort war bei Gott.« Nein, Pepescha glaubte inbrünstig an die Macht des Papiers. Ein Stück Papier, entsprechend beschriftet, konnte zu einer alles durchschlagenden Granate werden. Man mußte nur verstehen, sie abzufeuern.

Viele Unerfahrene versuchen, gleich ins Schwarze zu treffen, das heißt, den im überschaubaren Umkreis größten Natschalnik zu erreichen, und sie verwenden alle Anstrengung darauf, damit ihr von Leid gezeugtes Papier unbedingt auf seinen hohen Tisch gelangt. Naiver Irrtum – gleich ins Schwarze treffen zu wollen! Der mächtige Natschalnik blickt aus den Augenwinkeln auf das Papier, das von der Seite her niedergeflattert ist, und mit Sicherheit liegt in diesem Moment auf seinem hohen Schreibtisch ein ganzer Stoß noch wichtigerer, noch unaufschiebbarerer Papiere. Also ist damit zu rechnen, daß er lässig den unerwünschten Entscheid »nicht beachten!« auf dein von Leid erzeugtes Papier kritzelt, oder er fegt es mit dem Ellbogen beiseite, läßt es wohl gar im Papierkorb verschwinden. Bei mächtigen Natschalniks ist solche Lässigkeit verzeihlich.

Versuche also nie, gleich ins Schwarze zu treffen, schieße nie mit Papieren auf einen hohen Natschalnik – du schießt mit Sicherheit fehl. Schieße mit Toleranz, mit Vorhalt, auf die für dich notwendige Behörde.

Gewiß, dein Papier landet zunächst mal ganz unten – bei einem Sachbearbeiter oder einer Sekretärin mit leichtsinnig gefärbten Fingernägeln. Dieses Fräulein ist noch nicht soweit, selbständig zu entscheiden, was wichtig ist und was nicht. Für sie sind sämtliche Papiere gleich wichtig. Sie ist verpflichtet, jedes zu numerieren und ins Buch einzutragen. Und hat ein Papier erst mal eine Eingangsnummer, hat es eine Spur hinterlassen in den Registrierbüchern, die sorgsam aufbewahrt werden und in die von Zeit zu Zeit das strenge Auge des Revisors blickt, dann hat es eine Fahrkarte ins Leben. Man kann es nicht mehr lässig in den Papierkorb wischen, man kann es nicht begraben, sondern man muß es anschauen, man muß darauf reagieren.

Die Reaktion besteht im Weiterreichen. Nicht allzuweit, nur etwas weiter nach oben, als die Sekretärin sitzt, an einen Mann, der sicherlich nicht mit großen Rechten ausgestattet ist. Er kann natürlich nicht in der notwendigen Weise reagieren, doch er kann den Vorgang auch nicht abtun, vom Tisch wischen. Also schreibt er zu deinem Papier ein eigenes und reicht es weiter. Dein Papier kriecht langsam – nur Geduld! – aber sicher aufwärts, bewächst unterwegs mit anderen Papieren, Vermerken, Entscheiden, schwungvollen Unterschriften.

Gelangt es gleich, beim ersten Anlauf, bis zu dem ersehnten obersten Natschalnik? Kaum. Höchstwahrscheinlich stößt es irgendwo auf halbem Wege auf einen Routinier, der auf eigenes

Risiko reagiert, nicht wie es am besten ist, doch er tut die Sache auch nicht ab, beerdigt sie nicht, sondern gibt Antwort.

Nun mußt du ein neues Papier schreiben, du wiederholst dein Anliegen, erhebst den Vorwurf, es sei nicht richtig geprüft worden, weist darauf hin, an welcher Stelle dein erstes Papier den Rückweg antreten mußte, und beschwerst dich über den, der das veranlaßt hat. Mit deinem Papier, das neuerlich numeriert und in das entsprechende Buch eingetragen wurde, muß man sich abermals befassen. Aber das tut bereits ein höherer Natschalnik...

Zu guter Letzt, wenn du genügend Geduld hast, kannst du immer erreichen, daß dein Papier auf dem allerhöchsten Schreibtisch landet. Aber in welcher Form! Nicht als Wisch, sondern als solide Akte, mit einem Gefolge anderer Papiere, welche die lange Reise durch die schwierigen Behördenwege spiegeln. Wer würde wagen, eine Akte in den Papierkorb zu werfen? Solche Helden gibt es nicht.

Pepescha hatte ein langes, unbeflecktes Dienstleben hinter sich, er hatte verschiedene Natschalnikposten bekleidet, wenn auch nicht in schwindelnder Höhe, so doch hoch genug, um die Macht einer Eingabe kennenzulernen.

Diese Macht galt es jetzt zu nutzen. Der Tag reichte nicht aus, er saß nächtelang, knapste die Zeit vom Schlaf ab und verfaßte Eingaben: »Ich halte es für meine Pflicht, zu melden...«

An die städtische Milizverwaltung gegen den Jägerverband: der habe eine Organisation beherbergt, die verdächtige Versammlungen konspirativen Typs abgehalten habe.

An die Redaktion der Kitesher Zeitung gegen die Miliz: die lasse es an Wachsamkeit fehlen, sei untätig und zersetzt, decke offenkundige Ordnungsstörer und heimliche Verschwörer.

An die Organe, die die Presse dirigierten, gegen die Zeitung: die nähre im Volke ungesunde Spekulationen, säe ideologische Schwankungen und Unstimmigkeiten, ob da nicht böse Absicht dahinterstecke, ob das nicht nach ideologischer Verschwörung röche?

Und gegen die dirigierenden Organe: »Ich halte es für meine

Pflicht, zu melden ...« Es gab auch dafür Stellen! Und es gab etwas zu melden!

Man hatte ihm den Hut vom Kopf gestoßen – und ihm damit das Leben, die Jugend zurückgegeben! Was für einen Sinn hat es, ohnmächtig ins Leere zu schreien: »Erschießen! Alle erschießen!« Komplotte reifen heran! Decke sie auf! Handle!

Und erstaunlich – so sehr irrte Pepescha gar nicht. Eine Verschwörung reifte ganz in der Nähe, keine dreihundert Schritt von seinem Hause, auf der Alten Brücke. Ein einsamer Mann trug sie in sich aus.

31

Pepescha war mit Eifer tätig, und eine Treppe höher träumte die ehrenwerte Familie Kukuschew ihre ersten Träume.

Diese waren freilich nicht eben erfreulich. Adrian warf sich unruhig im Bett herum, stöhnte sogar.

Mitten in der Nacht weckte ihn ein wilder Schrei Polinas: »Aaah!«

Es riß Adrian unter der Decke hervor. Mit zitternden Händen tastete er lange über die Wand, fand endlich den Schalter, machte Licht.

Polina saß im Bett, ihr Gesicht ohne die Brille im Drahtgestell wirkte flach und augenlos, es hatte nur den weit aufgerissenen, schwarzen, nach Luft schnappenden Mund.

»Polina! Polina! Was ist? Was hast du?«

»Eeer!«

»Wer er? Was hast du?«

»Schon wieder er ...«

»Wach auf, Polina!«

Ihr ganzer Körper zuckte. Sie schien zu sich zu kommen.

»Gib mir meine Brille.«

»Wozu? Du mußt schlafen.«

»Gib mir die Brille, ich kann nichts sehen.«

Die Brille verwandelte Polina – unruhig huschende Augen,

blasse Lippen, strichdünn, und nichts von der gewohnten verzagten »Tagesmiene«.

»Nun ist alles aus«, sagte sie leise.

»Was ist aus, Polina? Was soll das bedeuten?« Adrian wurde langsam ärgerlich.

»Ich bin verloren«, sagte sie ebenso leise, resigniert, überzeugt und sogar auf eine besondere Art nachdenklich.

»Dreh dich nicht so auf mitten in der Nacht! Schlaf!« schrie Adrian, um zu zeigen, daß er zu beliebiger Tages- und Nachtzeit hier der Herr und Gebieter war. Aber das gelang ihm nur begrenzt – es ist schwierig, gebieterisch zu wirken, wenn man mit einer vergißmeinnichtblauen Trikotunterhose bekleidet ist.

»Nachts konnte ich mich immer vor ihm verstecken, doch jetzt hat er mich gefunden.«

»Wer hat dich gefunden? Was redest du, Polina?«

»Er ... Sidorow.«

»Du schläfst ja immer noch!«

»Bisher hat er sich immer erst morgens auf mich gestürzt ... Haufenweise.«

»Wieso haufenweise? Sidorow?«

»Ja. Haufenweise ... Tausende von Briefen ... Kitesh ist verrückt geworden, alle schreiben, und nur von ihm: Sidorow! Sidorow! Sidorow! Ganze Haufen von Sidorows, und alles auf mich.«

»Dann vergiß ihn doch wenigstens jetzt!«

»Vergessen? Jeden Feierabend schließe ich mein Zimmer zu und sage mir: Die Sidorows sind eingeschlossen, bis morgen früh können sie nicht raus, vergiß sie. Ich schließe zu, stecke den Schlüssel ein, gehe auf die Straße, und wen treffe ich? Sidorow.«

»Polina, laß uns schlafen.«

»Im Autobus – Sidorow, Sidorow, Sidorow! Im Laden – Sidorow, Sidorow, Sidorow! Ich renne Hals über Kopf nach Hause, um mich vor ihm zu verstecken.«

»Polina, jetzt reicht's!«

»Und zu Hause? Dieser Sidorow prasselt wie Erbsen aus dir

heraus. Wie aus dem Hinterhalt springt er mich aus dem Sohn an. Nur nachts hatte ich endlich Ruhe vor ihm... im Schlaf. Dort konnte er nicht hin. Ich hatte Ruhe, Ruhe...«

»Polina!«

»Jetzt ist er durchgebrochen! Hörst du?«

»Polina! Polina! So ein Blödsinn! Versteh doch, das hast du geträumt!«

»Er war immer unsichtbar, aber jetzt habe ich ihn gesehen! Er ist klein, dürr, grauhaarig. Er hat einen eckigen Kopf mit Tränensäcken unter den Augen. Er ist leberkrank...«

»Komm zu dir, Polina! Siehst du mich, Polina? Ich bin's! Polina! Ich bin's! Komm zu dir!«

»Er macht mir keine angst. Nein. Aber es ist so ungemütlich mit ihm! Ich habe Angst zu ersticken... Ich krieg keine Luft! Keine Luft! Und morgens... Mein Gott! Er ist dort, eingeschlossen, haufenweise... Wo soll ich mich verstecken?« Polina murmelte weiter, sie zitterte am ganzen Leibe, und plötzlich wölbte sie sich hoch und schrie gellend: »Er ist hier! Er lauert! Adrian! Adrian! Er ist hier, ich krieg keine Luft! Jag ihn weg!«

Adrian, in vergißmeinnichtblauer Unterhose, umtanzte seine Frau, wollte ihr den Arm um die Schultern legen, redete beruhigend auf sie ein: »Polina! Liebes! Um Gottes willen!«

Sie bog sich weg, schrie: »Ich krieg keine Luft! Keine Luft! Jag ihn weg!«

Auf das Geschrei hin erschien aus dem Nebenzimmer der Sohn, zerrauft, gedunsen, die verschlafenen Augen aufreißend: »Was hat sie?«

»Polina! Liebes! Beruhige dich... Du weckst ja alle Nachbarn auf...« Adrian stürzte sich auf den Sohn. »Steh nicht so rum! Mutter ist schlecht! Hol Baldrian aus der Schublade!«

Eine halbe Stunde später lag Polina, mit Baldrian getränkt, unter der Decke und zuckte von Zeit zu Zeit heftig zusammen.

Der Sohn verkroch sich finster und niedergeschlagen in der Küche und rauchte eine Zigarette nach der anderen.

Der Vater saß in seiner vergißmeinnichtblauen Unterhose bei seiner schlafenden Frau und lutschte eine Herztablette.

Am nächsten Morgen aber ging Polina, wie immer in ihrem altmodischen Kostüm, dessen Rock für Mini zu lang, für Maxi zu kurz war, die spärlichen Haare im Nacken nachlässig zum Dutt geknotet, mit strengem Blick in der trüben Brille zur Arbeit. Nur das Grün in ihrem Gesicht erinnerte an das nächtliche Vorkommnis.

32

Und wieder war über der Stadt Kitesh ein scheußlich grauer Morgen herangereift. Der jüngst gefallene Schnee war schon vergangen. Nässe sickerte in die Tiefen des Asphalts, in die Wände der Häuser; Stämme und Zweige der Bäume waren trauerschwarz, und die Luft wirkte puddinghaft verdickt von der Feuchtigkeit. Und der Himmel... Der Himmel war so gleichmäßig farblos, daß man sich erhobenen Kopfes die Augen ausschauen konnte, ohne etwas zu sehen – er war einfach nicht da. Der Tag versprach genauso scheußlich zu werden. Tausende von Einwohnern würden ihn in der von der Nässe kältestarren Stadt erleben, ohne ihn zu bemerken, und sich nie wieder an ihn erinnern. Solche Tage werden geboren, um sofort für immer in den Falten der Vergangenheit zu verschwinden. Es ist nicht einmal vorstellbar, daß während eines solch dämmerigen Zeitabschnitts ein von Genie erhellter Gedanke aufblitzen oder jemand in dem Wunsch entbrennen könnte, eine große Tat zu tun.

Aber gerade in dieser Ödnis und Scheußlichkeit, wo kein Mensch ein Aufblitzen erwartet, werden Verbrechen geboren.

An diesem Morgen trug Samson Popjonkin in sich den ausgereiften Plan einer wahrhaft unmenschlichen Frechheit.

Nicht einmal in Zaubermärchen kommt vor, daß ein unvergänglicher Geist getötet würde. Jedoch ist die heutige Wirklichkeit unwahrscheinlicher als jedes Märchen, das hatte der alte Zeitungshase Popjonkin immer wieder behauptet. Nun war für ihn der Zeitpunkt da, seine Worte durch die Tat zu beweisen.

Er ging, so könnte man sagen, vom Gegenteil aus. Um einen Menschen zu töten, muß man den Geist aus dem sterblichen Körper entweichen lassen. Um aber einen körperlosen Geist zu töten, muß man ihn ... in einen Körper zwängen, nicht anders.

Leicht gesagt, einen Geist in einen Körper zu zwängen! Wenn man's recht bedenkt, eine grandiose Aufgabe, die bislang einzig der Herrgott persönlich zu bewältigen vermochte. Und nun wollte Samson Popjonkin, den solche Größenordnung mitnichten einschüchterte, Gott ins Handwerk pfuschen!

Freilich hat der Allerhöchste Schöpfer zunächst einmal den Körper des Menschen geschaffen und ihm erst danach den Geist eingehaucht. Samson Popjonkin wollte fertiges Material benutzen, nämlich einen gesunden Einwohner der Stadt Kitesh. Was hatte es für einen Sinn, selber ein Gefäß zu formen, wenn er sich sozusagen bloß zu bücken brauchte, um eines aufzuheben und zweckentsprechend zu benutzen? Samson Popjonkin machte sich seine Aufgabe ziemlich leicht.

Der Herrgott schuf den Menschen binnen eines Tages. Samson Popjonkin war schon immer gegen jedwede Überstürztheit gewesen – vermutlich war die Menschheit mit so beträchtlichen Mängeln behaftet, weil sie in aller Eile zusammengeschustert worden war. Aber Gott hatte gewiß triftige Gründe gehabt, in solch gedrängter Frist zu handeln. Auch Samson Popjonkin hatte triftige Gründe – bei Petrow-Raufbold durfte er nicht zögern; wenn er zu lange trödelte, verschlang der ihn. Darum war Samson Popjonkin entschlossen, nach dem Beispiel des Allmächtigen die Operation binnen eines Tages durchzuziehen.

Und zwar an diesem Tag, der so uneinprägsam begann.

Was für Methoden und Hilfsmittel Gott benutzt, das verschweigt die heilige Geschiche. Samson Popjonkin stand ein probates Mittel zur Verfügung, das ihn noch nie im Stich gelassen hatte – das Telefon.

Er schloß sich in seinem schmalen Arbeitszimmerchen ein und wählte, ohne den Mantel abzulegen, die Nummer des Auskunftsbüros.

»Fräulein, ich brauche die genaue Adresse eines gewissen Sidorow, der in unserer Stadt wohnt... Was ich von ihm weiß? Gar nichts, nur daß sein Vorname mit »I« anfängt... Sehr wenig, ich weiß, aber die Adresse brauche ich bitte ganz genau... Bitte diktieren sie mir die Adressen sämtlicher I. Sidorows, ich schreibe mit...«

Als der häufigste Familienname in Rußland gilt Iwanow. Den Petrows wird der zweite Platz eingeräumt, den Sidorows der dritte. Die streng wissenschaftlichen Angaben der Statistik freilich widerlegen diesen verbreiteten Irrtum. Den ersten Platz nehmen die Smirnows ein, gefolgt von den Kusnezows. Die Iwanows sitzen, so Gott will, auf Platz drei, wenn nicht noch weiter hinten. Und die Sidorows bewegen sich außerhalb der ersten zehn.

Darum erwies sich die Ausbeute an I. Sidorows nicht als üppig. Aus der dichtbesiedelten Stadt wurden nur drei Adressen herausgeangelt. Der eine Sidorow, dessen Vorname mit »I« begann, wohnte unweit der Redaktion, in der Alte-Kathedrale-Gasse. Der zweite wohnte nicht nah und nicht fern, in der Reiterarmeestraße, der früheren Abdeckerei. Der dritte wohnte da, wo sich Fuchs und Hase gute Nacht sagen, beim Haltepunkt Dewitschje, in dem neuen Wohnbezirk, der dem Moskauer Tscherjomuschki entsprach.

Samson Popjonkin las die kurze Liste, seufzte betrübt, steckte sie in die Tasche, setzte den Hut auf und ging auf die Jagd nach dem gottgeschaffenen Sidorow, dessen sterblicher Körper zur Gruft für den großen Geist des Lesers Sidorow werden sollte.

33

Er besuchte alle drei Adressen, selbst die beim Haltepunkt Dewitschje, in dem neuen Wohnbezirk von Kitesh.

Der erste I. Sidorow war so etwas wie ein nomineller Etatposten – er wurde in den Listen geführt, doch er glänzte durch Abwesenheit. Er studierte seit langem in Moskau und dürfte kaum die Absicht haben, häufig nach Kitesh zu reisen.

Der zweite I. Sidorow stand kurz vor seinem neunzigsten Geburtstag – er lag flach, konnte sich nicht rühren, war fast blind und völlig taub, überdies war es auch in seiner Jugend mit seiner Schreib- und Lesekunst nicht weit her gewesen, denn er konnte lediglich seinen Namen schreiben. Er kam ebenfalls nicht in Betracht.

Nun galt es, sich auf den I. Sidorow in der weiland Abdeckerei zu konzentrieren.

Daß dieser ideal für die hehre Gruft getaugt hätte, wäre übertrieben. Es mußte Samson Popjonkin bedenklich stimmen, daß er sein Opfer nicht zu Hause, nicht am Arbeitsplatz, dem Autotranskontor Nummer fünf, vorfand, sondern in der Bierschwemme gegenüber, wo Innokenti Sidorow, genannt Kescha der Gänserich, einen Großteil des Arbeitstags zu verbringen pflegte.

Er trug einen alten Mantel mit ausgerissenen Taschen, eine Schirmmütze, die er bis dicht über die Augen geschoben hatte, besaß ein weniger mürrisches als vielmehr mißtrauisches, verschlagenes Gesicht, tieflastig durch ein übermäßig wuchtiges Kinn, das dem Absatz eines Soldatenstiefels glich, und eine etwas gebückte Haltung, die beredt ausdrückte: »Na, was willste, eh?«

Ein anderer an der Stelle Samson Popjonkins wäre wohl in Panik verfallen angesichts der Aufgabe, einen solchen Schlägertyp zu bequatschen, der in den eingerissenen Taschen gewaltige Fäuste verbarg! Und was für Anschauungen mochte dieser Sidorow-Gänserich hegen? Höchstwahrscheinlich waren seine ideellen Überzeugungen denen, die Samson Popjonkin ihm einzuflößen beabsichtigte, genau entgegengesetzt.

Aber Samson Popjonkin hatte es schon in jungen Jahren, in seiner Reporterzeit, wie kein zweiter meisterhaft verstanden, sogenannte »Interviews mit Aufbrechen« zu vollziehen. Man schickte ihn gewöhnlich zu den unzugänglichsten, verschlossensten Objekten, zu verdächtigen, zwielichtigen Personen, die etwas zu verbergen hatten. Und stets fand Samson Popjonkin den Dietrich für die Geheimfächer der menschlichen Seele und zwang das jeweilige Objekt, das Verborgene bloßzulegen.

Auch jetzt entdeckte sein geübtes Auge in dem monolithischen Objekt mit dem gar zu willensstarken Kinn einen winzigen Riß. Dieser Sidorow-Gänserich fürchtete ihn, den Vertreter der bekannten Zeitung, er hatte, da konnte man sicher sein, Sünden zu verbergen, für die sich sogar die Miliz interessierte. Der Riß war da, und ihn zu erweitern, nun, das war eine Frage des Könnens. Samson Popjonkin mochte riskante Operationen, mehr noch, sie weckten in ihm zitternde Beseeltheit. Ach, wenn die Zeit nicht so drängte, würde er zunächst ein paar Recherchen anstellen, würde herausfinden, was dieser Sidorow-Gänserich auf dem Kerbholz hatte und wie oft er ins Visier der Ordnungshüter geraten war. Aber eben mit der Zeit haperte es, also handle ohne Vorbereitung.

Und Samson Popjonkin begann zu handeln – mit gewinnendem Lächeln, die verkörperte Liebenswürdigkeit.

»Innokenti Pawlowitsch, ich zweifle nicht daran, daß Sie unsere Zeitung aufmerksam verfolgen.«

»Ich kann lesen. Ich lese Zeitungen und alles übrige.«

Ein weniger erfahrener Reporter würde diese Antwort des Sidorow-Gänserich unbedingt in Zweifel gezogen haben: Gib nicht so an, du Hundesohn, das glaub ich dir gerade. Man sieht's an deiner Visage, wieviel du liest. Aber Samson Popjonkin wußte wohl, wie trügerisch das Äußere eines Menschen sein kann. Dieser Sidorow-Gänserich verausgabte seine geistigen Kräfte keineswegs bei Schlosser- und Reparaturarbeiten im Autotranskontor Nummer fünf, sondern in solchen mehr als bescheidenen Schwemmen beim Bier. Und man kann nicht ganze Tage hintereinander schweigend beim Bier verbringen. Ohne ein angenehmes Gespräch, das weiß jeder, hat das Bier nicht die richtige Würze, bereitet die so verbrachte Zeit kein Vergnügen. Und ein Gespräch ist nur dann angenehm, wenn du deine Gesprächspartner mit deinem Wissen, deiner Informiertheit erschlägst. Und die mußt du irgendwo schöpfen – in erster Linie aus Zeitungen, aber nicht nur aus Zeitungen.

Niemand hat je gezählt, wie viele Kenner sich in Bierschwemmen verbergen, von denen die Welt nichts weiß. Wer hat nicht mit ihnen zu tun gehabt, den Stammgästen, die stöhnend nicht nur das »Kneipenrußland« von Sergej Jessenin lesen, sondern den keineswegs nüchternen Poeten »durch und durch« kennen? Aber es gibt auch Unikums. So konnte man drei Jahre zuvor in den Kitesher Bierschwemmen einem Mann von unauffälligem Aussehen und undefinierbarer Beschäftigung begegnen, der nicht Jessenin und nicht den guten alten »Luka Mudistschew«* auswendig herunterratterte, sondern den soliden idealistischen Philosophen Schopenhauer, der die Geheimnisse der »Lebensweisheit« entdeckt hat. Wo mochte er den ausgegraben haben? Aber er kannte ihn von Buchdeckel zu Buckdeckel! Wort für Wort! Nun, und was die Kenner der internationalen Lage betrifft, die Nixon und Pompidou und Golda Meir mit wilden Schmähungen zudeckten – du lieber Gott! –, dazu gehört nachgerade jeder, der von seinem Glas den Schaum auf den Fußboden pustet. Das ist sozusagen das Politminimum, ohne das du lieber einen riesigen Bogen um all die Stätten machst, aus denen Schnapsdunst zieht. Innokenti Sidorow-Gänserich besaß gewiß eine vorzügliche Kneipenbildung. Höchstwahrscheinlich sogar eine höhere.

»Dann können Sie mir natürlich viel über den Leserbrief von Sidorow erzählen.«

»Eine Meinung dazu hab ich.«

»Nämlich?«

»Von wegen, die werd ich Ihnen gerade auf die Nase binden.«

* Obszönes Poem von Iwan Barkow (1732–1768) – A. d. Ü.

»Richtig, ich hab vergessen, Bier zu bestellen. Kippen wir ein Glas hinter die Binde?«

»Es geht nicht ums Bier, sondern um die Prinzipien! Die sind bei Ihnen nach der verkehrten Seite verbogen.«

Sidorow-Gänserich, der gestählte Kneipenkämpe, riß die Initiative an sich.

»Sollten Ihre persönlichen Ansichten etwa von denen abweichen, die in dem Brief geäußert werden, Innokenti Pawlowitsch?« Die Frage war mit friedlicher Verwunderung gestellt.

»Sie vergleichen Moskowskaja-Wodka mit Kwaß.«

Nun war es an der Zeit, den Schlag zu führen.

»Innokenti Pawlowitsch!« sprach Samson Popjonkin so feierlich wie nötig. »Was bringt Sie dazu, so doppelgesichtig zu sein?«

Bei Sidorow-Gänserich zuckte das gar zu willensstarke Kinn.

»Sie lügen mich an, Innokenti Pawlowitsch! Bloß warum?«

Aber Sidorow-Gänserich faßte sich schnell.

»Sie legen mich nicht aufs Kreuz! Ich bin nicht so leicht einzuschüchtern!«

»Wir haben gute Gründe, anzunehmen, Innokenti Pawlowitsch, daß Ihre Ansicht vollständig – voll-stän-dig! – mit dem Brief übereinstimmt, den unsere Zeitung gedruckt hat.«

»Ach was!«

»Und Sie wissen sehr gut, warum!«

»Warum spielen Sie Blindekuh mit mir? Reden Sie offen.«

»Nein, Innokenti Pawlowitsch, nein! Sie sind dran, offen zu reden. Bis jetzt sind Sie bildschön um den heißen Brei herumgelaufen.«

»Sieh an, schlauer Hund. Spinnt sich hier was zurecht und zeigt mit dem Finger auf mich. Und ich soll draus schlau werden.«

»Erinnern Sie sich, Innokenti Pawlowitsch, wer den Brief geschrieben hat, der soviel Aufsehen erregt?«

»Ja, ich weiß noch. Auch ein Sidorow. Nur die Köter in der Stadt laufen nicht mit diesem Namen rum.«

»Sie irren. In unserer Stadt gibt es nur drei I. Sidorows.«

»Na und? Was geht das mich an?«

»Einer dieser Sidorows lebt in Moskau, er wird hier nur noch geführt. Der zweite ist ein uralter Opa, der liegt schon das zweite Jahr im Bett, halber Analphabet, liest keine Zeitungen ...«

»Was geht das mich ...«

»Und der dritte I. Sidorow – das sind Sie!« erklärte Samson Popjonkin mit metallener Stimme.

»Hören Sie mal, Sie Schlauberger«, sagte Sidorow-Gänserich ärgerlich. »Was wollen Sie von mir?«

»Die Wahrheit!«

»Waaas?«

»Innokenti Pawlowitsch, wir haben gute Gründe zu dem Verdacht, daß Sie der Autor des berühmten Briefes sind.«

Sidorow-Gänserich stand minutenlang mit – trotz des starken Willens – herabhängendem Unterkiefer da, klapperte wie verzaubert mit den Augen und gab endlich schwache Lebenszeichen von sich: »Nu, das sind mir Sachen, nu, ihr Witzbolde.«

»Bedenken Sie, Innokenti Pawlowitsch, wir benutzen nur geprüfte Informationen.«

»Ich soll der, wie heißt er gleich, Autor sein! Nu, Witzbolde ...«

»Vielleicht können Sie uns einen anderen Sidorow nennen, der dahintersteckt?«

»Gehen Sie mir doch los! Ich kenne keinen dahinter und will auch keinen kennen!«

»Das denken wir auch – es gibt keine anderen, Sie sind der einzig mögliche Sidorow.«

»Denken Sie, was Sie wollen. Aber ich hab ihn nicht geschrieben ... Nie im Leben. Was anhängen wollt ihr mir!«

»Sie streiten es ab?«

»Und ob!«

»Entschieden?«

»Versteht sich.«

»Dann ...« Samson Popjonkin verfinsterte sich. »Dann müssen wir bestimmte Leute bitten, daß sie's feststellen.«

»Tun Sie das ... Ohne mich.«

»Ermitteln wird man in erster Linie gegen Sie, Innokenti Pawlowitsch! Wer Sie sind, was Sie machen.«

Samson Popjonkin hatte sich nicht geirrt – Sidorow-Gänserich trug in sich einen winzigen Riß, der jetzt knirschend nachgab und diesen stämmigen Charakter spaltete. Eine Weile schwieg Sidorow-Gänserich mit puterrotem Gesicht, dann probierte er einen Haken.

»Vielleicht war das gar kein Sidorow, vielleicht hat bloß einer so unterschrieben?«

»Um so mehr müssen wir das rauskriegen.«

Was war dem entgegenzuhalten? So und so würde man das feststellen wollen. Und genau das wollte Sidorow-Gänserich vermeiden. Verzweifelt rief er: »Aber ich hab das nicht geschrieben! Gar nichts hab ich geschrieben! Ich kann das doch nicht zugeben, wenn ich's nicht war!«

Samson Popjonkin nahm mit gelangweilter Miene seinen Hut vom Tisch.

»Sie sind aber stur. Alles Gute!«

»Warten Sie!«

Sidorow-Gänserich zersprang endgültig – längs und quer.

»Ja oder nein? Zum *letztenmal*«, fragte Samson Popjonkin ärgerlich, den Hut in der Schwebe haltend.

»Das soll einer wissen, wo er reinrasselt ...«

»Ich frage Sie: ja oder nein? Ich habe keine Zeit, Wasser im Mörser zu stampfen, Genosse Sidorow.«

»Na, und wenn ich's zugeb, was dann?«

»Gar nichts. Sie kommen mit mir in die Redaktion und gehen hinterher heil und unversehrt nach Hause. Wir müssen wissen, daß Sie Sie sind. Weiter wollen wir nichts von Ihnen.«

»Und wenn sich der richtige Sidorow meldet?«

»Wieso der richtige?« Samson Popjonkin blickte kühl und streng. »Wovon reden Sie?«

Da schlaffte Sidorow-Gänserich ab. Das war ein »Interview mit Aufbrechen«, und es endete siegreich.

Samson Popjonkin ordnete höflich an:

»Wir gehen jetzt zu Ihnen nach Hause. Sie rasieren sich ein bißchen, ziehen ein frisches Hemd an, binden einen Schlips um. Es gehört sich nicht, in solch unanständiger Aufmachung bei einem Chefredakteur zu erscheinen.«

34

Der Chefredakteur Kryschew, so unglaublich es klingen mag, war beinah mit demselben beschäftigt wie Samson Popjonkin – er bastelte eine Bombe... ja, ja, um den Geist des Lesers Sidorow zu töten! Freilich hatte der wackere Ilja Kryschew keine Ahnung, daß er drauf und dran war, einen Mord zu begehen.

Er war erfüllt von panischem Entsetzen – Petrow-Raufbold stand im Begriff, mit seiner Hilfe Herr der Lage zu werden. Von der Schwelle auf die Bank, von der Bank auf den Ofen... Der alte Haudegen, der mit dem Namen Sidorow ausholte wie mit einem Knüppel, hielt ihn schon jetzt in Gottesfurcht und würde das so lange tun, bis er, Ilja Kryschew, den Platz des Hausherrn räumte. Von der Schwelle auf die Bank...

Sidorow... Bis jetzt hatte Kryschew die Zweifel, die ihn beschlichen, sorgsam verdrängt. Sidorow... Der war plötzlich aus dem Nichtsein aufgeschwommen, verdächtig plötzlich und verdächtig rechtzeitig: Sein Brief war wie auf Bestellung im günstigsten Moment erschienen, war treffend und routiniert geschrieben, nicht jeder alte Zeitungshase brachte so was zustande. Das Original des Briefes hatte niemand gesehen – vor Ilja Kryschew hatte er schon in der endgültigen Form gelegen, mit dem redaktionellen »Köter«.

Sidorow... Wenn man ihn gar zu plötzlich verdächtigte, konnte man sich die Finger verbrennen. Er hatte rasch Autorität gewonnen, und jetzt noch an ihm zu zweifeln war höchst gefährlich, im Gegenteil, beeile dich, ihn zu lobpreisen, sieh zu, daß du rechtzeitig Treue gelobst. Aber jetzt war Kryschew in die Ecke getrieben, er hatte nichts mehr zu verlieren, spürte wie ein von allen Seiten umstelltes Rotwild einen Zustrom von wahnsinnigem Mut und beschloß, sich auf den Jäger zu stürzen. Sidorow... Mit dem drohte ihm Petrow-Raufbold. Er mußte beweisen – grausiger Gedanke! –, es gab gar keinen Sidorow, der war ein leerer Fleck, eine Fälschung!

Das war eine Bombe, deren Detonation ganz Kitesh von oben nach unten erschüttern und Petrow-Raufbold verschütten würde.

Natürlich hätte sich Kryschew zu anderer Zeit in acht genommen, eine Bombe war kein Spielzeug, er konnte selber unter die Trümmer geraten. Aber – von der Schwelle auf die Bank, von der Bank auf den Ofen... Du darfst nicht mehr zögern! Bring ihn zum Stehen, und sei es mit einer Bombe, du hast keine Wahl.

Ilja Kryschew entschloß sich zum Terrorakt – er wollte die Bombe werfen!

Er nahm den Hörer ab und wählte.

»Polina Iwanowna, hier Kryschew... Ja, Kryschew. Kommen Sie zu mir... Ja, ja, jetzt gleich!«

Die zermürbte Polina führte Krieg mit Sidorow, sie ertrank in Leserbriefen.

Und jetzt der Anruf... Seit fünfzehn Jahren wirkte sie in der Leserbriefabteilung, sie hatte nicht wenige Chefredakteure kommen und gehen sehen, und keinem von ihnen wäre es je in den Sinn gekommen, sie zu einem Gespräch zu bitten. Nicht durch die Sekretärin zur Beratung, nicht zusammen mit den anderen Mitarbeitern, nein, eine persönliche Einladung: »Jetzt gleich!«

Die faltigen Wangen rot gefleckt, der Blick gläsern hinter der Brille im Drahtgestell, trat Polina vor Kryschew.

»Nehmen Sie Platz.« Höflich, doch Mißtrauen weckend.

Zwei Physiognomien starrten sie gleichzeitig an – die mißvergnügte von Kryschew mit den blauen Tränensäcken und die breite, trübglatte, geheimnisvoll unerschütterliche des niemals aufleuchtenden Fernsehers.

»Ich benötige umgehend das Original des Sidorow-Briefs«, erklärte Kryschew ohne Umschweife, mit furchteinflößender Schlichtheit und Liebenswürdigkeit.

Polina sagte nichts, sie blühte mit roten Flecken, hörte jedes Wort und wagte nicht, ihren Ohren zu trauen. Das trübe Fernsehauge sah sie hinter der Schulter des liebenswürdigen, fast herzlichen Ilja Kryschew hervor leidenschaftslos an.

»Hören Sie, Polina Iwanowna? Das Original ...«

»Ich höre.«

»Haben Sie es?«

»Nein.«

»Wo ist es?«

»Ich weiß nicht.«

»Wer weiß es?«

Polina blickte ihren Chef nicht an, der Fernsehapparat peinigte sie mit seinem dunstgrauen Blick. Die Luft wurde ihr knapp, der Stuhl unter ihr schwankte leicht.

»Vielleicht ist es bei Popjonkin?« fragte Kryschew.

»Ich weiß nicht.«

»Haben Sie ihn gesehen, den Brief?«

»Ich weiß nicht.«

»Wie soll ich das verstehen?«

»Ich kann mich an keinen Brief erinnern.«

»Werden die eingehenden Briefe bei Ihnen registriert?«

»Ja.«

»Bringen Sie mir das Registrierbuch für die eingehenden Briefe, und zeigen Sie mir, wo der Brief registriert ist.«

»Es gibt keinen ...«

»Was heißt das?«

»Es gibt ihn nicht, diesen Brief ...«

Der trübe Blick des Fernsehapparats lullte Polina ein, sie schwankte sacht wie ein Nachen in schwacher Dünung.

»Sehr schön. Sie erinnern sich nicht, es gibt ihn nicht, er ist nicht registriert! Sie schreiben mir jetzt sofort eine ausführliche Erklärung: Der Brief von Sidorow sei nicht durch Ihre Abteilung gegangen. Fügen Sie entsprechende Auszüge aus dem

Registrierbuch bei. Kurz vor Feierabend geben Sie das Schriftstück mir ... Mir! Nicht durch die Sekretärin! Aus Ihrer Hand in meine Hand! Gehen Sie, Polina Iwanowna.«

Allein, Polina mochte nicht aufstehen, von dem dunstigen Blick des Fernsehapparats schmerzte ihr der Kopf und ihr schwindelte.

»Polina Iwanowna, die Zeit drängt. Gehen Sie.«

Sie erhob sich mühsam, wankte, fing sich aber und bewegte sich, die Beine nachschleppend, gehorsam zur Tür. An der Tür drehte sie sich nachdenklich um.

»Ilja Makarowitsch ...«

»Was?« Kryschew fuhr hoch.

»Ist Ihnen schon mal aufgefallen – Briefe sind ähnlich wie Menschen ...«

»Ich v-verstehe nicht.«

»Ich weiß, wie der Brief von Sidorow aussieht. Ehrenwort. Obwohl ich ihn nie gesehen habe. Klein von Wuchs, eckiger Kopf, Tränensäcke ... Er ist leberkrank, Ilja Makarowitsch.«

»Wovon reden Sie eigentlich? Ich v-verstehe kein Wort.«

»Neuerdings besucht er mich sogar in der Nacht, Ilja Makarowitsch ...«

»Polina Iwanowna, Sie sind ja ganz blaß. Was haben Sie?«

»Ich bin müde ... so müde ...«

Polina stieß die Tür auf und ging.

Kryschew war noch nicht wieder zu sich gekommen, da gellte draußen im Korridor ein entsetzlicher Schrei.

35

Samson Popjonkin führte den rasierten, beschwipsten, bonbonartig nach Erdbeerseife duftenden Sidorow-Gänserich genau in dem Moment in die Räume der Redaktion, als Ilja Kryschew Polina zu sich bestellte.

Nein, er führte den frischgebackenen Autor nicht gleich ins Zimmer des Chefs – zu früh! Für den Anfang sollte der hohe

Gast eine der größten Sehenswürdigkeiten der Redaktion besuchen – den Kassenschalter der Buchhaltung.

»Sie erhalten ein bescheidenes Honorar für Ihre Publikation«, erklärte Samson Popjonkin.

»Aber...«, begann Sidorow-Gänserich, seiner früheren Selbstsicherheit längst verlustig.

»Schon wieder ein Aber?« unterbrach Samson Popjonkin ihn eisig. »Sie haben zwei Minuten. Dann müssen Sie reden! Und ich rate Ihnen nicht, sich zu wiederholen.«

Allein, dem Sidorow-Gänserich blieben nicht einmal diese jämmerlichen zwei Minuten. Er stand schon vor dem Kassenschalter. Dahinter saß eine Frau von ehrwürdigem Aussehen, die bei den Kitesher Journalisten bestens bekannte Soja Mitrofanowna, langjährige Kassiererin der Zeitung.

»Ihren Paß bitte«, verlangte sie kurz.

Soja Mitrofanowna war die lebendige Verkörperung von Gesetzlichkeit und Ordnung. Soja Mitrofanowna, die niemals einem Menschen aufs Wort glaubte – sie glaubte nur Dokumenten. Soja Mitrofanowna hatte sich noch nie geirrt, denn ein Kassierer, wie ein Pionier im Kriege, irrt sich im Leben nur einmal.

Sie nahm den dargereichten Paß genau in Augenschein, rückte vertrauend die Anweisung heraus und verlautbarte:

»Quittieren Sie: die Summe, in Worten, Datum, Familienname.«

Und vor den Genossen Sidorow, an dessen Echtheit Soja Mitrofanowna kein Jota zweifelte, wurde Geld hingelegt. Es war ein bescheidenes Sümmchen – dreizehn Rubel und zweiunddreißig Kopeken.

Sidorow-Gänserich hatte sein Leben lang furchtbar unter der in der Welt meistverbreiteten Krankheit gelitten – chronischem Geldmangel. Sein ganzes Leben war erfüllt von einem einzigen Streben, einem unabänderlichen, leidenschaftlichen Wunsch – einen zusätzlichen Rubel zu raffen, einen zusätzlichen Zehner herauszuschlagen. Selbst der scharfsichtige Samson Popjonkin wäre wohl nie darauf gekommen, daß diese unausrottbare

Leidenschaft Sidorow-Gänserich manchmal – nein, leider nicht zu großen Taten, aber zum Schnorren bewog: »He, Kumpel, pump mir einen Fünfer für den Bus, ich bin pleite!« So sprach er Straßenpassanten an, die ein schlichtes Gesicht und einen gutmütigen Blick hatten. Von vier Trotteln je einen Fünfer plus zwei Kopeken eigenes Geld – das war ein Glas Bier! Doch selbst dieser Sidorow-Gänserich, der Fünfer nicht verschmähte, wich unwillkürlich vor dem angebotenen Geld zurück.

»Aber ...«

Er wich zurück und begegnete dem klaren, offenen Blick von Soja Mitrofanowna.

»Irgendwas nicht in Ordnung?« fragte sie.

»Doch!« antwortete Sidorow-Gänserich heiser. »Alles bestens, gute Frau.« Mit zitternder Hand harfte er das Geld vom Zahlbrett.

Wie hätte er auch darauf verzichten können? Zur Kasse gehen, den Paß zücken, den Empfang quittieren und ... das Geld verweigern? War solch widersinniges Verhalten überhaupt denkbar? Hatte es so etwas je gegeben auf Erden? Hätte Sidorow-Gänserich das getan, so wäre die redliche Soja Mitrofanowna gewiß vom Schlag getroffen worden.

Gehorsam steckte er das Geld ein und begriff: Es ging gar nicht um die dreizehn Rubel mit den paar Kopeken, sondern um seine Unterschrift. Mit seiner eigenen Unterschrift hatte er soeben beglaubigt – nicht nur vor diesem hartnäckigen Zeitungsmann Popjonkin, nicht nur vor der sympathischen bejahrten Kassiererin, sondern vor dem ganzen großen Staat –, daß er kein anderer sei als dieser Sidorow, der Verfasser des Leserbriefes, der in der Stadt soviel Staub aufgewirbelt hatte.

Es war vollbracht! Der große Geist des Lesers Sidorow war endgültig mit dem vergänglichen, in Format und Würde äußerst mittelmäßigen Menschenkörper zusammengewachsen. Eine unvoreingenommene Person im Staatsdienst, die Kassiererin Soja Mitrofanowna, hatte diese denkwürdige Eheschließung dokumentiert. Samson Popjonkin war interessierter

Zeuge. Glückwünsche und Festansprachen kamen in Fortfall.

In der jahrhundertelangen stürmischen Geschichte der Stadt Kitesh hatten ständig Morde stattgefunden – auf dem Richtblock, am Streckbock, in steinbeschwerten Säcken, mit dem Messer von Bruderhand, mit geschwungenem Morgenstern an dunkler Landstraße, mit dem Kissen im Fürstenpalast, der Vielfalt gab es keine Grenzen! Noch nie aber war ein so sauberer, in keiner Weise blutiger, eleganter Mord geschehen. Gestorben war ein mächtiger Geist, und geblieben war nur der Leser Sidorow, der kein bißchen geheimnisvolle, überhaupt nicht mächtige Reparaturschlosser vom Autotranskontor Nummer fünf, der für Besuche in den Einrichtungen der »Russischen Hauptverwaltung für Bierbrauereiwesen« schwärmte. Wen würde jetzt noch der Wunsch ankommen, mit einem so gewöhnlichen Namen zu drohen? Dem dräuenden Ritter Petrow-Raufbold war die Waffe aus der Hand geschlagen.

Aber Geister sterben wie Menschen nicht schlagartig, sondern in Krämpfen und Konvulsionen.

Der frischgebackene Autor steckte das empfangene Geld ein...

Und in diesem Moment stieß Polina die Tür auf und verließ das Arbeitszimmer des Chefredakteurs.

Die Redaktionstreppe herauf stieg, Stufe um Stufe, kurzatmig ein Mann mit dem ehrwürdigen Aussehen eines Rentners und dem Gesicht eines Selbstverbrenners – Pepescha, der eine seiner Anzeigen in die Redaktion brachte: »Ich halte es für meine Pflicht, zu melden...«

36

Polina verließ das Arbeitszimmer, verkrampft, die Brille in die ungewisse Ferne gerichtet, fiebrige Flecke im Gesicht. Sie kam heraus und stieß auf Samson Popjonkin.

»Polina Iwanowna, darf ich bekannt machen«, sagte Samson Popjonkin, ein dünnes Siegerlächeln im Gesicht. »Dies ist Genosse ... Sidorow. Ja, ja, der bewußte.«

Polina stolperte, Polina erstarrte, ihr Gesicht lief merkwürdig puterrot an, dann wurde sie bleich, und in die weit aufgerissenen Augen hinter den Brillengläsern trat mählich schwere Grabesfinsternis. Vor ihr stand ein vierschrötiger Kerl mit wuchtigem viereckigem Kinn, von einem fipsigen Schlips gewürgt und mit karamelartigem Erdbeerseifenduft. Und da prallte Polina zurück und schrie gellend: »Neiiin! Neiiin!«

Ihr Geschrei erschütterte die Wände der Redaktion, sämtliche Türen wurden aufgerissen.

»Neeeiiin! Neeeiiin! Hilfe!«

Samson Popjonkin stürzte zu Polina, doch sie stieß ihn kraftvoll zurück und schrie mit überkippender Stimme: »Las-sen Sie mich in Ru-he! Das ist er nicht! Der sieht ganz anders aus!«

Aus sämtlichen Türen kamen Leute gesprungen und erstarrten längs des Korridors zu stummen, verständnislosen Fragezeichen. Der kleine, wendige Samson Popjonkin drang immer wieder auf Polina ein, doch er flog jedesmal zur Seite. Polina fuhr fort zu schreien: »Den habt ihr untergeschoben! Untergeschoben! Das ist er nicht! Das ist nicht Sidorow!«

Da kam auch Ilja Kryschew aus seinem Arbeitszimmer geschnürt, seitlich an die rettende Wand gedrückt.

»Sucht Sidorow! Das ist er nicht!«

Dem verzweifelt immer wieder zuspringenden Samson Popjonkin kamen junge, stämmige literarische Mitarbeiter zu Hilfe. Sie drängten Polina in die Enge, doch sie riß sich los und heulte: »Das ist er nicht! Der andere versteckt sich! Nehmt euch in acht! Nehmt euch in acht! Nehmt euch in acht! «

Sidorow-Gänserich, soeben zum Leser Sidorow avanciert, stand puterrot und schweißüberströmt, von seinem Schlips halb erwürgt, mit herabhängenden willensstarkem Kinn da, duckte sich wie erschlagen, ließ die schweren Hände bis zu den Knien herunterhängen.

Und da öffnete sich die Eingangstür ... Die Tür öffnete sich, und in den aufgestörten Korridor trat Pepescha, der bescheidene Rentner, der nach Selbstaufopferung dürstete. Unbemerkt machte er ein paar Schritte und blieb stehen, als er den gebeugten Sidorow gewahrte. Auf der faltenreichen Stirn des leidgeprüften Pepescha schwoll drohend eine Ader, das dunkle Greisenblut trat ihm ins Gesicht, das blaurot anlief, die Augen färbten sich weiß vor Wut. Er hob den knotigen Finger gegen Sidorow, und in das Geschrei der wahnsinnig gewordenen Polina schnitt sich sein gellendes Kreischen.

»Das ist er! Das ist er!«

»Es ist der Falsche! Der Falsche!« schrie Polina, zappelnd in den starken Armen der literarischen Mitarbeiter.

»Er ist es!« schrie Pepescha überschnappend. »Er ist es! Dieser Rowdy! Dieser Bandit!«

»Laßt mich los! Laßt mich los! Sucht den Richtigen!«

»Hier ist kein Platz für den Rowdy! Raus mit ihm! Jagt ihn raus!«

»Das ist der Falsche! Der Richtige hält sich versteckt! Sucht ihn! Sucht ihn!«

»Das ist der Richtige! Ja, ein Bandit! Wird auf der Straße handgreiflich!«

»Rettet euch vor Sidorow! Rettet euch alle!«

»Er hätte mich fast erwürgt! Ich bezeuge es! Schmeißt ihn raus!«

Zwei überschnappende Stimmen – harmonisches Duett einer Irren und eines Märtyrers.

Geister sterben wie Menschen in Konvulsionen . . .

Und in dem gellenden Geschrei konnte niemand hören, wie wieder einmal schmeichelnd das Rad der Kitesher Geschichte knarrte.

37

Diesmal schien es, daß das Rad der Geschichte eine Drehung nach der anderen Seite vollzog.

Polina wurde mit einem herbeitelefonierten Erste-Hilfe-Wagen abtransportiert. Im Eifer des Gefechts wollte man auch den in märtyrerhafte Rage verfallenen Pepescha hineinstoßen, doch es gelang ihm, ins Arbeitszimmer des Chefredakteurs durchzubrechen, wo er selbstvergessen vortrug, daß Sidorow ein bekannter Radaubruder sei, der unlängst fünfzehn Tage eingesessen habe wegen Körperverletzung. Pepescha wurde beruhigt und hinauskomplimentiert.

Nunmehr trat eine erstaunliche, befreiende Stille ein. Alles kam bei keinem wieder ins Lot.

Sidorow-Gänserich, unter solch geräuschvollen Umständen zum Leser Sidorow avanciert, verduftete als erster aus der Redaktion ... ab zur nächsten Bierschwemme, um dortselbst geistig zu entspannen und das Erlebnis philosophisch zu durchdenken.

Man zog Erkundigungen bei der Miliz ein, und es stellte sich tatsächlich heraus, daß er mehr als einmal vorgeführt worden war und fünfzehn Tage abgesessen hatte. Danach war jegliche Erwähnung des Namens Sidorow in beliebiger Form schlechthin ungehörig, und man mußte so tun, als hätte es ihn nie gegeben. Es gab keinen Sidorow, also gab es auch nicht das Problem der Umweltverschmutzung, und es existierte auch kein Artikel von Iwan Lepota über dieses Thema.

Petrow-Raufbold, der so tollkühn auf die Schwelle gesprungen war in der Hoffnung, noch höher zu springen, mußte in seine alten Positionen zurückweichen.

Das Rad der Geschichte vollführte eine Rückwärtsdrehung.

Wir wissen nicht, ob Ilja Kryschew Vorwürfe und Rügen erhielt, doch wenn, dann streng vertraulich, und das hatte keine Auswirkungen auf seine Dienststellung. Mit dem früheren Eifer schleppt er in der Zeitung die schwere Bürde der Außenbeziehungen, während das Rad des inneren Lebens wie früher von Samson Popjonkin gekurbelt wird. Wenn es gilt, Sidorow zu vergessen, sind logischerweise auch die Irrungen und überstürzten Taten aller, die irgendwie mit ihm zu tun hatten, dem Vergessen zu überantworten.

Wer Altes aufrührt – dem schlagt ein Auge aus! Das ist gewißlich wahr.

Qualm, Lärm, feindliche Wirbel – alles ist zerweht, alles hat sich gelegt. Das Leben fließt in seinem früheren Bett, und wie früher fließt das Flüßchen Kershawka durch die ruhmreiche Stadt Kitesh zum See Swetlojar.

Alphabetisches Gesamtverzeichnis der suhrkamp taschenbücher

1/1/8.86

1/2/8.86

1/3/8.86

1/4/8.86

1/5/8.86

1/6/8.86

1/7/8.86

1/8/8.86

1/9/8.86

1/10/8.86

1/11/8.86

1/12/8.86

1/13/8.86

1/14/8.86

1/15/8.86